ninguém escreve ao coronel

Obras do autor

O amor nos tempos do cólera
A aventura de Miguel Littín clandestino no Chile
Cem anos de solidão
Cheiro de goiaba
Crônica de uma morte anunciada
Do amor e outros demônios
Doze contos peregrinos
Os funerais da Mamãe Grande
O general em seu labirinto
A incrível e triste história de Cândida Erêndira e sua avó desalmada
Memória de minhas putas tristes
Ninguém escreve ao coronel
Notícia de um sequestro
Olhos de cão azul
O outono do patriarca
Relato de um náufrago
A revoada (O enterro do diabo)
O veneno da madrugada (A má hora)
Viver para contar

Obra jornalística

Vol. 1 – Textos caribenhos (1948-1952)
Vol. 2 – Textos andinos (1954-1955)
Vol. 3 – Da Europa e da América (1955-1960)
Vol. 4 – Reportagens políticas (1974-1995)
Vol. 5 – Crônicas (1961-1984)
O escândalo do século

Obra infantojuvenil

A luz é como a água
María dos Prazeres
A sesta da terça-feira
Um senhor muito velho com umas asas enormes
O verão feliz da senhorita Forbes
Maria dos Prazeres e outros contos (com Carme Solé Vendrell)

GABRIEL GARCÍA MARQUEZ

ninguém escreve ao coronel

TRADUÇÃO DE
DANÚBIO RODRIGUES

34ª edição

EDITORA RECORD
RIO DE JANEIRO • SÃO PAULO
2022

CIP-Brasil. Catalogação na fonte
Sindicato Nacional dos Editores de Livros, RJ.

G211n García Márquez, Gabriel, 1927-2014
34ª ed.   Ninguém escreve ao Coronel/ Gabriel García Márquez;
       tradução de Danúbio Rodrigues – 34ª ed. – Rio de Janeiro:
       Record, 2022.

       Tradução de: El coronel no tiene quién le escriba
       ISBN 978-85-01-01655-3

           1. Conto colombiano. I. Rodrigues, Danúbio. II. Título.

                           CDD – 868.993613
95-2222   CDU – 860(861)-3

Título original
EL CORONEL NO TIENE QUIÉN LE ESCRIBA

Copyright © 1968 by Gabriel García Márquez

Texto revisado segundo o novo Acordo Ortográfico da Língua Portuguesa.

Direitos de publicação exclusivos em todos os países de língua portuguesa
com exceção de Portugal adquiridos pela
EDITORA RECORD LTDA.
Rua Argentina, 171 – Rio de Janeiro, RJ – 20921-380 – Tel.: (21) 2585-2000,
que se reserva a propriedade literária desta tradução.

Impresso no Brasil

ISBN 978-85-01-01655-3

Seja um leitor preferencial Record.
Cadastre-se no site www.record.com.br e receba
informações sobre nossos lançamentos
e nossas promoções.

EDITORA AFILIADA

Atendimento e venda direta ao leitor:
sac@record.com.br

O CORONEL DESTAMPOU a lata do café e notou que apenas restava uma colherinha de pó. Tirou a panela do fogo, jogou no chão de barro batido a metade da água e raspou de faca todo o interior da vasilha, até botar na panela o que restava, uma mistura de raspas com ferrugem.

Sentado junto ao fogão, em atitude de confiada e inocente expectativa enquanto o café não fervia, o Coronel como que sentiu brotar de suas tripas cogumelos e lírios malignos. Era outubro. Eis uma manhã difícil de vencer, esta, mesmo para um homem de sua fibra, sobrevivente de tantas outras manhãs. Havia cinquenta e seis anos — desde que acabara a última guerra civil — que ele não fazia outra coisa senão esperar. Outubro era uma dessas raras coisas que chegavam.

Quando entrou no quarto, trazendo o café, a mulher abriu o mosquiteiro da cama. Ela sofrera uma crise asmática a noite inteira e agora atravessava um estado de modorra. Mesmo assim ergueu o busto para apanhar a xícara.

— E você — disse.

— Já bebi o meu — mentiu o marido. — Ainda restava uma colherada.

Foi quando começaram a tanger sinos a finados.

O Coronel havia esquecido o enterro. Tirou o punho da rede e enrolou-a na outra extremidade da porta, enquanto a mulher engolia o café. Ela pensou no defunto.

— Nasceu em 1922 — suspirou. — Exatamente um mês depois do nosso filho. Dia sete de abril.

Continuou a sorver o café nas pausas da respiração pedregosa. Tratava-se de uma criatura construída de cartilagens brancas cobrindo a espinha arqueada e inflexível. Sentia-se obrigada a fazer perguntas em tom afirmativo por causa de suas perturbações respiratórias. Ainda pensava no morto quando o café acabou.

— Deve ser horrível ficar debaixo da terra — falou. Mas o marido não prestava atenção, abria a janela. Outubro instalara-se no quintal. Contemplando a vegetação — que rebentava em verdes intensos — e os minúsculos montes de terra revolvidos pelas minhocas, o Coronel voltou a sentir o mês aziago nos intestinos.

— Acho que estou com água nos ossos — comentou.

— É o inverno — respondeu a mulher. — Desde que as chuvas começaram que estou lhe prevenindo para dormir de meia.

— Mas isso eu já faço há uma semana.

Chovia manso, sem parar. O Coronel ainda pensou em voltar à sua rede e se embrulhar no cobertor de lã; mas a insistência do repicar dos bronzes só lembrava o enterro.

— É outubro — murmurou ao sair da janela. Foi aí que se lembrou do galo amarrado ao pé da cama. Era um galo de briga.

Depois de levar a xícara para a cozinha foi à sala dar corda no relógio de pêndulo, trabalhado em madeira lavrada. Ao contrário do quarto — muito acanhado para a respiração de uma asmástica —, a sala era ampla com suas quatro cadeiras de balanço ao redor de uma mesinha de centro com toalha e um gato de gesso. Na parede oposta à do relógio, um quadro de mulher em uma barca repleta de rosas, entre véus e anjinhos.

Às sete e vinte terminou de dar corda no relógio. Levou então o galo à cozinha, amarrando-o ao pé do fogão e mudando a água da lata, além de jogar ao lado um punhado de milho. Um grupo de meninos entrou pela cerca arrebentada. Todos se sentaram ao redor do bicho, contemplando-o em silêncio.

— Parem de olhar — advertiu o dono da casa. — Os galos se gastam quando a gente olha muito para eles.

Os meninos não se mexeram. Um deles começou a soprar na sua gaita os acordes de uma canção em moda.

— Não toque hoje — preveniu o Coronel. — Há um morto na cidade.

O garoto guardou o instrumento no bolso da calça e o pai de Agustín dirigiu-se ao quarto, a fim de vestir-se para o enterro.

O terno branco estava por passar, devido à asma da mulher. O Coronel procurou pelo terno preto do casamento, que usava em ocasiões muito especiais. Deu trabalho encontrá-lo no fundo de um baú, embrulhado em jornais e protegido contra as traças por bolinhas de naftalina. A mulher continuava recostada na cama pensando no morto.

— Já deve estar com o nosso Agustín — balbuciou. — Tomara que não comente as nossas dificuldades desde que ele morreu.

— Ora, naturalmente vão discutir sobre galos de briga — exaltou-se o Coronel.

Encontrou no baú o enorme e antigo guarda-chuva. A mulher ganhara-o em uma rifa política destinada a angariar fundos para o partido do Coronel. Tinham assistido naquela mesma noite a um espetáculo ao ar livre que não fora interrompido, apesar da chuva. Ela, o marido e Agustín — então com oito anos de idade — viram a festa até o fim, sentados sob o guarda-chuva. O filho agora estava morto e a seda brilhante fora destruída pelas traças.

— Olha só o que sobrou do nosso guarda-chuva de palhaço de circo — mostrou o Coronel, repetindo uma frase costumeira. Abriu sobre a cabeça o misterioso sistema de varetas metálicas. — Agora só serve pra gente contar as estrelas.

Sorriu. Mas a mulher não se deu ao trabalho de olhar o guarda-chuva.

— Está tudo assim — murmurou. — Estamos apodrecendo vivos.

E fechou os olhos para pensar com mais intensidade no morto.

Depois de fazer a barba pelo tato — pois estava sem espelho há bastante tempo — o Coronel vestiu-se em silêncio. A calça, quase tão justa nas pernas quanto a ceroula, as canelas contidas por laços corrediços, era presa à cintura por duas linguetas da mesma fazenda, passadas em duas fivelas douradas, na altura dos rins. Não usava cinturão. A camisa cor de papel antigo, dura como um papelão, era fechada por um botão de cobre que ainda servia para sustentar o colarinho postiço que, como estava puído, levou seu dono a dispensar a gravata. Fazia cada gesto como se fosse um ato fora do comum. Os ossos das mãos eram forrados por uma pelanca brilhante e tensa, manchada de vitiligo, igual à pele do pescoço. Raspou o barro incrustado na costura antes de calçar as botinas de verniz. A mulher olhou-o nesse instante; ele estava pronto igualzinho ao dia do casamento. Só então ela sentiu como seu marido envelhecera.

— Você parece que está se arrumando para um grande acontecimento — disse.

— E este enterro é um grande acontecimento, sim. É o primeiro morto de morte natural em muitos anos.

Estiou depois das nove. O Coronel ia sair quando a mulher puxou-o pela manga do paletó.

— Penteie-se — pediu.

Ele tentou dominar com o pente de chifre os cabelos cor de aço. Mas o esforço foi inútil.

— Devo estar parecendo um papagaio — brincou.

A mulher examinou-o. Achou que não. O Coronel não se parecia com um papagaio. Era um homem seco, de ossatura sólida, articulada a porca e parafuso. Pela vitalidade dos olhos não parecia conservado em formol.

— Assim você fica bem — admitiu ela, e acrescentou quando o marido deixava o quarto: — Pergunte ao doutor quem o espantou aqui de casa.

O casal morava no extremo da cidade, em uma casa coberta de palha e de paredes de cal esburacadas. O tempo continuava úmido, embora não chovesse. O Coronel desceu para a praça por um beco de casinhas amontoadas. Ao desembocar na rua principal tomou um susto. Até onde a vista alcançava o lugar estava atapetado de flores. Mulheres de preto esperavam o enterro sentadas nas entradas das casas.

Na praça começou a chover outra vez. Da porta do salão de bilhar o proprietário viu o amigo, e gritou de braços abertos:

— Coronel, espere um pouco, eu lhe empresto um guarda-chuva!

Ele respondeu sem voltar a cabeça:

— Obrigado, assim estou bem.

O enterro ainda não havia saído. Os homens — de roupa branca e gravata preta — conversavam na porta debaixo dos guarda-chuvas. Um deles viu o Coronel saltando sobre as poças da praça.

— Meta-se aqui, compadre — chamou.

Abriu-se uma vaga sob o guarda-chuva.

— Obrigado, compadre — agradeceu.

Não aceitou o convite, no entanto. Entrou imediatamente na casa a fim de dar os pêsames à mãe do defunto. A primeira coisa que percebeu foi um cheiro de muitas flores diferentes. Depois começou o calor. O Coronel tentou abrir caminho através da multidão bloqueada na sala. Alguém botou a mão nas suas costas, empurrando-o para o fundo por uma galeria de rostos perplexos, até o local onde se encontravam — profundas e dilatadas — as fossas nasais do morto.

Ali estava a mãe espantando as moscas do ataúde com um leque de palmas trançadas. Outras mulheres, vestidas de negro, contemplavam o cadáver com a mesma expressão com que se olha a correnteza de um rio. De repente, iniciaram uns cânticos lá no fundo do quarto. O Coronel afastou para o lado uma mulher, encontrou de perfil a mãe do morto, e pôs-lhe a mão no ombro. Apertou os dentes.

— Meus sentidos pêsames.

Ela não voltou a cabeça. Abriu a boca e soltou um gemido. O Coronel sobressaltou-se. Sentiu-se empurrado contra o cadáver por uma massa disforme que estalou com vibrante alarido. Procurou apoio com as mãos e não achou a parede. Havia outros corpos no lugar. Alguém falou junto ao seu ouvido, devagarinho, com uma voz muito terna: "Cuidado, Coronel". Voltou-se e encarou o morto, embora não o reconhecesse: o defunto estava duro mas dinâmico. Parecia tão desconcertado quanto ele, envolto em trapos brancos e uma corneta às mãos. Quando levantou a cabeça, para procurar o ar por cima dos gritos, viu o caixão fechado oscilando em direção à porta, por uma pendente de flores que se despedaçavam contra as paredes. O Coronel suava. Doíam-lhe as articulações. Um momento depois soube que estava na rua porque a chuva lhe maltratou as pálpebras e alguém agarrou o seu braço, chamando-o:

— Vamos, compadre. Eu estava à sua espera.

Era Dom Sabas, padrinho de seu filho morto, o único dirigente de seu partido que escapara à perseguição política e continuava morando na cidade.

— Obrigado, compadre — respondeu, e caminhou em silêncio sob o guarda-chuva.

A banda deu início à marcha fúnebre. O Coronel notou a falta de um instrumento de cobre e, pela primeira vez, teve a certeza de que o morto estava definitivamente morto.

— Coitado — murmurou.

Dom Sabas pigarreou. Segurava o guarda-chuva com a mão esquerda, o cabo quase à altura da cabeça, pois era mais baixo que o Coronel. Os homens passaram a conversar quando o cortejo deixou a praça. Então Dom Sabas voltou para o amigo o rosto desconsolado.

— Compadre, como vai o galo?

— Vai indo — respondeu.

Foi aí que se ouviu um berro:

— Pra onde vão com esse morto?

O Coronel levantou os olhos. Viu o alcaide na sacada do quartel em atitude discursiva. Estava de cueca e camiseta, a cara inchada, por barbear. Os músicos interromperam a marcha fúnebre. Instantes depois o Coronel reconheceu a voz do padre Ángel com o alcaide. Decifrou o diálogo através da crepitação da chuva nos guarda-chuvas.

— Então? — perguntou Dom Sabas.

— Então nada — falou o Coronel. — O caso é que o enterro não pode passar diante do quartel da polícia.

— Ah, eu estava distraído — respondeu Dom Sabas. — Sempre me esqueço que estamos em estado de sítio.

— Mas isto não é subversão — indignou-se o Coronel. — É um pobre músico morto!

O cortejo mudou de trajeto. Nos bairros baixos as mulheres que o viam passar roíam as unhas em silêncio. Depois saíram para o meio da rua e lançaram gritos de elogio, gratidão e despedida, como se acreditassem que o morto as ouvia de dentro do ataúde. O Coronel sentiu-se mal no cemitério. Quando Dom Sabas empurrou-o até o muro, a fim de dar passagem aos homens que transportavam o cadáver, e lhe sorriu, deparou-se com um rosto pétreo.

— Que houve, compadre? — perguntou.

O Coronel suspirou.

— É outubro, compadre.

Voltaram pela mesma rua. A chuva tinha passado. O céu fez-se profundo, de um azul intenso.

— Já parou de chover — pensou, e sentiu-se melhor, embora continuasse absorto. Dom Sabas interrompeu-o:

— Vá consultar um médico, compadre.

— Não estou doente — contestou o Coronel. — Acontece que em outubro eu me sinto como se estivesse com as tripas cheias de bichos.

— Ah — fez Dom Sabas.

Despediram-se na porta de sua residência, um prédio novo de dois andares, com janelas de ferro forjado. O Coronel foi para casa, ansioso para tirar aquela roupa de cerimônia. Pouco depois tornou a sair a fim de comprar duzentos e cinquenta gramas de milho para o galo e um pacote de café, na esquina.

O CORONEL CUIDOU do galo, embora preferisse passar toda a quinta-feira na rede. Choveu durante dias e dias. Pela semana brotou a flora das suas vísceras. Passou noites em claro, atormentado pelos assobios pulmonares da companheira asmática. Mas outubro concedeu uma trégua na sexta-feira à tarde. Os companheiros de Agustín — oficiais de alfaiataria, e como ele, fanáticos pelas rinhas — aproveitaram a ocasião para examinar o galo. Estava em forma.

Quando ficou só em casa com a mulher, o Coronel voltou ao quarto. Ela havia reagido um pouco.

— Que dizem — quis saber.

— Mostram-se entusiasmados — informou o marido. — Estão economizando para apostar no galo.

— Não sei o que viram nesse bicho tão feio — disse a mulher. — Para mim parece um fenômeno: uma cabeça muito pequena em cima daqueles pés.

— Eles garantem que é o melhor do Departamento — argumentou o Coronel. — Vale uns cinquenta pesos.

Teve a certeza de que isso justificava a sua determinação de conservar o galo, herança do filho crivado de balas na rinha, nove meses atrás, por distribuir panfletos subversivos.

— É uma ilusão que custa caro — voltou a mulher. — Quando o milho acabar teremos de alimentá-lo com nossos fígados.

O Coronel continuou pensando no assunto enquanto procurava a calça de brim no guarda-roupa.

— É só por uns poucos meses — disse. — Já se sabe com certeza que haverá rinhas em janeiro. Depois podemos vendê-lo por um bom preço.

A calça estava amarrotada. A mulher esticou-a com dois ferros esquentados a carvão.

— Por que essa pressa de sair pra rua — ela perguntou.

— O correio.

— Havia esquecido que hoje era sexta — comentou a mulher voltando para o quarto. O marido estava pronto, mas sem a calça. Ela observou os sapatos dele. — Já estão bons de ir pro lixo — disse. — Continue usando as botinhas de verniz, homem.

O Coronel sentiu-se desolado.

— Parecem sapatos de órfão — respondeu. — Cada vez que os calço me sinto como foragido de um asilo.

— Nós somos órfãos de nosso filho — lamentou a mulher.

Também desta vez o persuadiu. O Coronel encaminhou-se ao cais antes que as lanchas apitassem. Botinas de verniz, calça branca sem cinturão e camisa sem colarinho postiço, fechada no pescoço por um botão de cobre. Do armazém do sírio, Moisés observou a manobra das lanchas. Os passageiros desciam esfalfados após oito horas sem mudar de posição. A mesma gente de sempre: caixeiros-viajantes e pessoas do lugar que tinham viajado na semana anterior e voltavam à rotina.

A última lancha a atracar foi a do correio. O Coronel viu-a se achegar, com angustiada expectativa. No teto, amarrado aos tubos de vapor e protegido por uma lona encerada, descobriu a sacola das cartas. Quinze anos de espera tinham aguçado sua intuição. O galo havia aguçado a sua ansiedade. Desde o instante em que o administrador do correio subiu à lancha, desatou a sacola e jogou-a às costas, o Coronel não mais o perdeu de vista.

Seguiu-o pela rua paralela ao porto, um labirinto de armazéns e barracas com mercadorias de todas as cores, em exibição. Toda vez que fazia esse roteiro experimentava uma ansiedade bem diferente, mas tão opressiva quanto o próprio terror. O médico esperava a porção de jornais na agência do correio.

— Minha mulher mandou perguntar se alguém o espantou lá de casa, doutor — brincou o Coronel.

Era um médico moço, o crânio coberto por cabelos encaracolados e brilhantes. Havia algo incrível na perfeição do seu sistema dentário. Interessou-se pela saúde da asmática, sem se descuidar dos movimentos do administrador, que distribuía as cartas pelas caixas postais. Seu modo indolente de trabalhar exasperava o Coronel.

O médico recebeu sua correspondência com o pacote de jornais. Pôs de lado os folhetos com publicidade científica. Depois leu superficialmente as cartas pessoais. Enquanto isso, o administrador distribuía as cartas entre os destinatários presentes. O Coronel observou a caixa que lhe correspondia pela ordem alfabética. Uma carta aérea de margens azuladas aumentou a tensão de seus nervos.

O médico cortou o fecho dos jornais. Informou-se das notícias mais destacadas enquanto o Coronel — os olhos fixos na caixa postal — esperava que o administrador parasse diante dela. Mas não o fez. O médico interrompeu a leitura. Olhou para o Coronel, depois para o administrador, sentado diante dos instrumentos do telégrafo, e voltou mais uma vez ao Coronel.

— Nós já vamos — disse.

O administrador não levantou a cabeça.

— Nada para o Coronel — falou.

Este não se sentiu envergonhado.

— Também não esperava nada — mentiu. Botou no médico um olhar totalmente infantil. — Eu não tenho quem me escreva.

Voltaram em silêncio. O médico concentrado nos jornais. O Coronel com seu jeito habitual de caminhar, que parecia o de um homem que desanda o caminho para procurar uma moeda perdida. Fazia uma tarde clara. Caíram das amendoeiras da praça as últimas folhas apodrecidas. Já anoitecia quando os dois chegaram à porta do consultório.

— Quais são as novidades? — indagou o Coronel.

O médico passou-lhe os vários jornais.

— Não se sabe — disse. — É difícil ler nas entrelinhas o que a censura permite publicar.

O Coronel passou às manchetes. Notícias internacionais. Em cima, a quatro colunas, uma crônica sobre a nacionalização do canal de Suez. A primeira página estava quase que totalmente ocupada por convites para um enterro.

— Não há esperanças de eleições — disse.

— Não seja ingênuo, Coronel. Já somos muito grandes para esperar pelo Messias.

O Coronel tratou de devolver os jornais, mas o outro se opôs.

— Leve tudo para sua casa e leia hoje à noite. Me devolva amanhã.

Um pouco depois das sete soaram as badaladas da censura cinematográfica. O padre Ángel usava esse método para divulgar a qualificação moral da fita, de acordo com a lista classificada recebida todos os meses pelo correio. A mulher do Coronel contou doze badaladas.

— Imprópria para todos — disse. — Há quase um ano que todos os filmes são impróprios para qualquer idade.

Fechou o mosquiteiro e murmurou:

— O mundo está perdido.

O marido, no entanto, absteve-se de comentários. Antes de se deitar amarrara o galo no pé da cama. Fechou a casa e largou inseticida no seu quarto. Botou a lâmpada no chão, armou a rede e se deitou para ler os jornais.

Viu-os por ordem cronológica e da primeira à última página, inclusive os anúncios. Às onze bateu o clarim do toque de silêncio. O Coronel acabou a leitura meia hora depois, abriu a porta do quintal para a noite impenetrável, e urinou em uma estaca, perseguido pelos mosquitos. A mulher ainda estava acordada quando ele voltou ao quarto.

— Não dizem nada dos veteranos? — perguntou.

— Não. Nada — respondeu. Apagou a luz antes de se meter na rede. — Pelo menos no começo publicavam as listas dos novos pensionistas. Há uns cinco anos não dizem mais nada.

Choveu depois da meia-noite. O Coronel conciliou o sono e de repente acordou alarmado com os intestinos. Descobriu uma goteira em algum lugar da casa. Procurou localizá-la no escuro, enrolado no cobertor até a cabeça.

Um fio de suor gelado escorreu pela coluna vertebral. Tinha febre. Sentiu-se flutuando em círculos concêntricos, dentro de um tanque de gelatina. Alguém falou. O Coronel respondeu do seu catre de revolucionário.

— Com quem está falando? — perguntou a mulher.

— Com o inglês fantasiado de tigre que apareceu no acampamento do Coronel Aureliano Buendía — disse o marido. Mexeu-se na rede, ardendo em febre. — Era o Duque de Marlborough.

Amanheceu muito cansado. Ao segundo toque para a missa saltou da rede e se instalou em uma realidade confusa, alvoroçada pelo cantar do galo. A cabeça girava ainda em círculos concêntricos. Sentiu náuseas. Saiu para o quintal, dirigindo-se à latrina através dos miúdos sussurros e dos cheiros sombrios do inverno. O interior do quartinho de madeira com teto de zinco estava envolto em vapores de amoníaco. Foi só levantar a tampa e uma nuvem de moscas triangulares saiu de dentro do vaso.

Era um rebate falso. Acocorado na plataforma de tábuas ásperas, experimentou o desgosto do desejo frustrado. O aperto foi substituído por uma dor surda no tubo digestivo.

— Não há dúvida — murmurou. — Sempre me acontece isso em outubro.

E assumiu sua atitude de confiante e inocente expectativa até se acalmarem os cogumelos das vísceras. Voltou ao quarto para trazer o galo.

— Essa noite você delirou de febre — alertou a mulher.

Começara a arrumar o quarto, já refeita de uma semana de crise. O Coronel tentou se lembrar, com esforço.

— Não era febre — mentiu. — Outra vez, sim, o sonho das teias de aranha.

Como sempre acontecia, após a crise a mulher estava perturbada. Virou a casa pelo avesso no correr da manhã. Mudou o lugar de cada coisa, menos o relógio e o quadro da ninfa. Era tão miúda e elástica que, quando transitava nos seus chinelos de pano e naquela roupa preta inteiramente fechada, parecia ter a virtude de passar através das paredes. Antes do meio-dia, porém, já havia recobrado a sua densidade, seu peso humano. Na cama era um vazio. Agora, movendo-se por entre vasos de samambaias e begônias, sua presença enchia a casa.

— Se já houvesse feito um ano da morte de Agustín eu cantaria alguma coisa — comentou, enquanto mexia o caldeirão onde fervia, cortado em pedaço, tudo de comer que a terra dos trópicos é capaz de produzir.

— Se está com vontade de cantar, cante — recomendou o Coronel. — Faz bem à bílis.

O médico veio depois do almoço. O Coronel e a mulher bebiam café na cozinha quando ele empurrou a porta da rua e gritou:

— Os doentes morreram!

O Coronel ergueu-se para recebê-lo.

— Pois é, doutor — disse dirigindo-se à sala. — Eu sempre achei que seu relógio regula com o dos urubus.

A mulher correu para o quarto a fim de se preparar para o exame. O médico permaneceu na sala com o dono da casa. Apesar do calor, seu terno de linho impecável exalava um hálito de frescura. E quando a mulher avisou que já estava pronta, ele entregou ao Coronel três páginas dentro de um envelope. Entrou no quarto dizendo:

— É o que os jornais de ontem não disseram.

O Coronel já esperava. Era uma síntese dos últimos acontecimentos nacionais, mimeografada para circular clandestinamente. Revelações sobre o moral da resistência armada no interior do país. Sentiu-se desintegrado. Dez anos de panfletos clandestinos não lhe haviam ensinado que nenhuma informação era tão surpreendente quanto a do mês seguinte. Acabara de ler quando o médico voltou à sala.

— Esta paciente está melhor que eu — disse. — Com uma asma dessas eu viveria cem anos.

O Coronel olhou-o sombriamente. Devolveu-lhe o envelope sem dizer palavra; mas o médico recusou.

— Passe adiante — disse em voz baixa.

O Coronel guardou o envelope no bolso da calça. A mulher saiu do quarto dizendo:

— Qualquer dia eu morro e levo o senhor para o inferno, doutor.

O médico respondeu em silêncio com o estereotipado esmalte dos dentes. Empurrou uma cadeira até a mesinha de centro e tirou da maleta vários vidros de amostras grátis.

A mulher passou para a cozinha.

— Espere que eu vou esquentar um café.

— Não, muito obrigado — respondeu. Rabiscou a receita em uma folha de formulário. — Nego à senhora, terminantemente, a oportunidade de me envenenar.

Ela riu de lá. Quando acabou de escrever, o médico leu a fórmula em voz alta, pois tinha certeza de que pessoa alguma decifraria aqueles garranchos. O Coronel tratou de prestar atenção. Na volta da cozinha a mulher deparou no rosto do marido os estragos da noite anterior.

— Teve febre hoje de madrugada — falou, referindo-se ao Coronel — ficou umas duas horas dizendo bobagens sobre a guerra civil.

O marido sobressaltou-se.

— Não era febre — insistiu, recobrando a compostura. — Além disso, no dia em que eu me sentir mal, não me entrego às mãos de ninguém: eu mesmo me jogo no caixão do lixo.

Foi ao quarto apanhar os jornais.

— Obrigado pelo elogio — disse o médico.

Caminharam juntos até à praça. O ar estava seco. O asfalto das ruas começava a fundir-se com o calor. Quando o médico se despediu, o Coronel perguntou em voz baixa, os dentes apertados:

— Quanto lhe devemos, doutor?

— Nada por enquanto — respondeu o médico, e deu-lhe uma palmadinha nas costas. — Mandarei uma conta bem gorda quando o galo vencer.

O Coronel encaminhou-se à alfaiataria a fim de levar o material subversivo aos companheiros de Agustín. Era o seu único refúgio desde que os correligionários foram mortos ou expulsos da cidade e ele se transformou em um homem solitário, sem outra ocupação a não ser a de esperar o correio das sextas-feiras.

O calor da tarde estimulou o dinamismo da mulher. Sentada entre as begônias do alpendre, junto a uma caixa de roupa imprestável, repetiu o eterno milagre de tirar prendas novas do nada. Fez colarinhos de mangas, punhos de panos da costa e remendos quadrados, perfeitos, mesmo com retalhos de cores variadas. Uma cigarra instalou o seu apito no quintal. O sol amadureceu. Mas ela não o viu agonizar sobre as begônias. Só levantou a cabeça ao anoitecer, quando o Coronel voltou para casa. Então, apertou o próprio pescoço com as duas mãos, desencaixou as articulações, e arrematou:

— Estou com a cabeça dura como pau.

— Ela sempre foi assim — brincou o marido. Mas logo observou o corpo da mulher inteiramente coberto de retalhos coloridos. — Você parece um pica-pau.

— É preciso ser meio carpinteiro para vestir você — falou. Estendeu uma camisa fabricada com pano de três cores diferentes, menos o colarinho e os punhos, que eram da mesma tonalidade. — No carnaval basta você tirar o paletó.

Foi interrompida pelas badaladas das seis horas. "O anjo do Senhor anunciou a Maria", rezou em voz alta, dirigindo-se com a roupa ao dormitório. O Coronel conversou com os meninos que, saindo da escola, foram contemplar o galo. Depois lembrou-se de que não havia milho para o dia seguinte e foi ao quarto pedir dinheiro à mulher.

— Olhe, só tenho aqui uns cinquenta centavos.

Guardava o dinheiro debaixo da esteira da cama, atado a uma ponta de lenço. Era ainda produto da máquina de costura de Agustín. Foram gastando tudo, centavo a centavo, repartindo-o entre as próprias necessidades e as do galo. Agora, restava apenas um par de moedas de vinte e uma de dez centavos.

— Compre 250 de milho — disse. — Com o troco, traga café e cem gramas de queijo.

— E um elefante dourado para pendurar na porta — arrematou o marido. — Só o milho custa quarenta e dois.

Refletiram por instantes.

— O galo é um animal, portanto pode esperar — disse ela inicialmente. O Coronel sentou-se na cama, os cotovelos fincados nos joelhos, fazendo soar as moedas entre as mãos.

— Não é por mim — falou pouco depois. — Se dependesse da minha pessoa, hoje à noite eu faria um refogado de galo. Deve ser interessante uma indigestão de cinquenta pesos.

Fez uma pausa para esmagar uma muriçoca no pescoço. Seguiu com o olhar a mulher ao redor do quarto.

— O que me preocupa é que esses pobres rapazes estão economizando.

Ela começou a pensar. Deu uma volta completa com a bomba de inseticida. O Coronel descobriu alguma coisa de irreal naquela atitude, como se a mulher estivesse convocando os espíritos da casa, para consultá-los. Afinal, pôs a bomba sobre o altarzinho de litografias e fixou os olhos cor de caramelo nos olhos cor de caramelo do marido.

— Compre o milho — disse por fim. — Deus há de saber como a gente vai se arranjar.

— ESTE É O MILAGRE da multiplicação dos pães — repetia o Coronel toda vez que os dois se sentavam à mesa no decorrer da semana seguinte. Com uma assombrosa habilidade para consertar, cerzir e remendar, parecia que ela havia descoberto a chave mágica para sustentar a economia doméstica exaurida. Outubro prolongou a trégua. A umidade foi substituída pelo torpor. Reconfortada pelo sol de cobre, a mulher dedicou três tardes ao seu laborioso penteado.

— Agora começa a missa cantada — disse o Coronel na tarde em que ela desembaraçou os longos fios azuis com um pente de dentes separados. Na segunda tarde, sentada no quintal com um lençol branco no regaço, usou um pente mais fino para limpar a cabeça dos piolhos, que haviam proliferado durante a crise. Por fim, lavou os cabelos com água de alecrim, esperou que secassem, e os enrolou na nuca com duas voltas, sustentando-os com um prendedor. O Coronel esperou. À noite, na rede sem poder dormir, sofreu horas pela sorte do galo. Mas na quarta-feira pesaram-no e o animal estava em forma.

Nessa mesma tarde, quando os companheiros de Agustín deixaram a casa, fazendo contas alegres sobre a vitória do animal, também o Coronel estava no ponto. A mulher cortou-lhe o cabelo.

— Rejuvenesci uns vinte anos — disse sorrindo, examinando a cabeça com as mãos.

Ela achou que o marido estava com a razão.

— Eu assim sou capaz de ressuscitar um morto.

A sua convicção, porém, durou umas poucas horas. Em casa já não restava nada para ser vendido, a não ser o relógio e o quadro. Na noite da quinta-feira, no último extremo dos recursos, a mulher manifestara sua inquietação diante desse quadro.

— Não se preocupe — consolou-a o Coronel. — O correio chega amanhã.

No dia seguinte ele esperou as lanchas em frente ao consultório do médico.

— O avião é algo maravilhoso — comentava o Coronel, os olhos fixos na sacola do correio. — Dizem que é capaz de chegar à Europa em uma noite.

— É verdade — confirmou o médico, abanando-se com uma revista ilustrada.

O Coronel descobrira o administrador do correio em um grupo que esperava o fim das manobras da lancha, para saltar. Foi o primeiro a fazê-lo. Recebeu do capitão um envelope lacrado. Depois subiu ao teto. A sacola estava amarrada entre dois tambores de petróleo.

— Mas não deixa de oferecer os seus perigos — disse o Coronel.

Perdeu o administrador de vista, mas logo voltou a localizá-lo entre as garrafas coloridas do carrinho de refrescos.

— A humanidade não progride em vão.

— Atualmente é mais seguro que uma lancha — disse o médico. — A vinte mil pés de altura voa-se por cima das tempestades.

— Vinte mil pés — repetiu o Coronel perplexo, sem conceber a noção da cifra.

O médico interessou-se. Com as duas mãos esticou a revista até lograr uma imobilidade absoluta.

— Há uma estabilidade perfeita — disse.

O Coronel, no entanto, estava atento ao administrador. Viu-o engolir um refresco de espuma cor-de-rosa, segurando o copo com a mão esquerda; com a direita sustinha a sacola da correspondência.

— Além disso — continuou falando o médico — no mar existem vários navios ancorados, em permanente contato com os aviões noturnos. Com tantas precauções, é mais seguro que uma lancha.

O Coronel olhou-o firme.

— Sem dúvida — apoiou. — Deve ser como os tapetes.

O administrador dirigiu-se diretamente para os dois. O Coronel retrocedeu impelido por uma ansiedade irresistível, procurando decifrar o nome escrito no envelope lacrado. O administrador abriu a sacola e passou ao médico o pacote de jornais. Depois abriu o envelope da correspondência privada, certificou-se da exatidão da remessa e leu nas cartas os nomes dos destinatários. O médico abriu os jornais.

— Ainda o problema de Suez — disse, lendo as manchetes. — O Ocidente perde terreno.

O Coronel não leu os títulos. Fez grande esforço para reagir contra o estômago.

— Desde que foi implantada a censura, os jornais só falam de Europa — disse. — Seria melhor se os europeus viessem para cá e nós fôssemos para a Europa. Só assim todo mundo saberia o que acontece em seus respectivos países.

— Para os europeus, a América do Sul é um homem de bigodes com um violão e um revólver — brincou o médico, rindo sobre o jornal. — Não entendem nossos problemas.

O administrador entregou-lhe a correspondência. Tornou a colocar o resto na sacola, fechando-a. O médico dispôs-se a ler as cartas pessoais. Antes de abrir um envelope, porém, olhou para o Coronel. Depois para o administrador.

— Nada para o Coronel?

Este sentiu o terror. O funcionário atirou a sacola ao ombro, desceu o embarcadouro e respondeu sem voltar a cabeça:

— Ninguém escreve ao Coronel.

Contrariando um hábito, não se dirigiu diretamente para casa. Tomou café na alfaiataria enquanto os companheiros de Agustín folheavam os jornais. Sentia-se arrasado. Teria preferido permanecer por ali mesmo até a outra sexta-feira, a fim de não aparecer com as mãos vazias diante da mulher, naquela noite. Teve de enfrentar a realidade quando fecharam a alfaiataria.

A mulher já o esperava.

— Nada — perguntou.

— Nada — respondeu.

Na sexta seguinte voltou às lanchas. E, como em todas as sextas-feiras, regressou sem a carta esperada.

— Já aguardamos demais — disse a mulher certa noite. — É preciso ter essa paciência de boi que você tem para esperar uma carta durante quinze anos.

O Coronel meteu-se na rede a fim de ler os jornais.

— Temos de esperar a vez — argumentou. — Nosso número é o 1823.

— Desde que estamos nessa expectativa já deu duas vezes esse número na loteria — replicou ela.

Leu como sempre da primeira à última página, inclusive os anúncios. Mas dessa vez não se concentrou. Durante a leitura pensava na sua reforma de veterano de guerra. Dezenove anos atrás, quando o Congresso Nacional promulgara a lei, iniciou-se um processo de justificação que durou cerca de oito anos. Depois foram necessários mais seis para ele ser incluído no quadro. Foi a última carta que o Coronel recebeu.

Acabou de ler imediatamente após o toque de silêncio. Ia apagar a lâmpada mas sentiu que a mulher continuava acordada.

— Você ainda tem aquele recorte?

Ela pensou.

— Tenho, sim. Deve estar com os outros papéis.

Saiu do mosquiteiro e tirou do armário um cofre de madeira com um pacote de cartas ordenadas cronologicamente e atadas com elástico. Localizou o anúncio de um escritório de advocacia comprometendo-se a fazer gestões eficazes no tocante a pensões de guerra.

— Desde que estou falando para mudar de advogado, já teríamos tido tempo de gastar esse dinheiro — disse a mulher, entregando ao marido o recorte de jornal. — Não ganhamos nada, enquanto eles o conservam no cofre, como fazem com o dinheiro dos índios.

O Coronel leu o que estava escrito, datado de dois anos antes. Guardou no bolso da camisa pendurada atrás da porta.

— O diabo é que para se trocar de advogado a gente precisa de dinheiro.

— Nada disso — decidiu a mulher. — A gente escreve mandando descontar o que for preciso da própria pensão, quando eles receberem. É a única maneira de fazer com que se interessem pelo assunto.

No sábado à tarde o Coronel foi visitar seu advogado. Encontrou-o deitado na rede, a barriga para o ar. Era um preto grandalhão, sem um dente além dos dois caninos superiores. Meteu os pés nos tamancos e abriu a janela do escritório sobre uma pianola empoeirada, com papéis embutidos nos espaços dos rolos: recortes do Diário Oficial colados em antigos cadernos de contabilidade e uma coleção incompleta dos boletins da tesouraria. A pianola sem teclado servia ao mesmo tempo de escrivaninha. O advogado sentou-se em uma cadeira de molas. O cliente expôs suas inquietações antes de revelar o verdadeiro propósito da visita.

— Eu avisei que a coisa não se resolvia assim, de um dia para outro — preveniu o negro em uma das pausas do Coronel.

Estava afogado em calor. Forçou as molas para trás e abanou-se com um cartão de publicidade.

— Meus agentes me escrevem com frequência dizendo para a gente não se desesperar.

— Há quinze anos é sempre a mesma lenga-lenga — desabafou o Coronel. — Isso já começa a parecer uma história de nunca se acabar.

O advogado fez uma descrição bastante elucidativa dos tortuosos caminhos da burocracia. A cadeira era muito estreita para aquelas nádegas outonais.

— Há quinze anos era bem mais fácil — argumentou. — Naquela época existia a Associação Municipal de Veteranos, integrada por elementos dos dois partidos.

Encheu os pulmões de um ar abrasador e pronunciou a sentença como se tivesse acabado de inventá-la:

— Mas a união faz a força.

— Nesse caso não fez — zangou-se o Coronel, pela primeira vez dando-se conta da sua solidão. — Todos os meus companheiros morreram esperando o correio.

O advogado continuou impassível.

— A lei foi promulgada demasiadamente tarde — explicou. — Nem todos tiveram a sua sorte, que chegou a coronel aos vinte anos de idade. Além disso, não foi incluída uma verba especial, de modo que o Governo tem de fazer emendas ao orçamento.

A mesma história de sempre. Cada vez que ele a escutava sofria um surdo ressentimento.

— Isso não é esmola — disse. — Não se trata de pedir favor. Arriscamos nossa pele para salvar a República.

O advogado abriu os braços.

— É isso mesmo, Coronel. A ingratidão humana não tem limites.

Esse mesmo argumento já era do conhecimento do Coronel. Começara a ouvi-lo no dia seguinte ao Tratado da Neerlândia, quando o Governo prometeu auxílio de viagem e indenização a duzentos oficiais revolucionários. Acampado ao redor da gigantesca paineira de Neerlândia, um batalhão de rebeldes — integrado em sua maioria por adolescentes fugidos da escola — esperou durante três meses. Depois cada qual voltou para casa por seus próprios recursos e ali continuou aguardando; e quase sessenta anos após o Coronel ainda esperava.

Perturbado pelas lembranças, assumiu uma atitude transcendental. Apoiou a mão direita no osso da coxa — puros ossos costurados com fibras nervosas — e murmurou:

— Pois eu resolvi tomar uma decisão drástica!

O preto suspendeu a respiração.

— Qual?

— Mudar de advogado!

Uma pata seguida de vários patinhos amarelos entrou no escritório. O advogado ergueu-se para fazê-la sair.

— Como queira, Coronel — disse, enxotando os animais. — Seja então o que o senhor quiser. Se eu pudesse obrar milagres não estaria vivendo neste curral.

Pôs uma grade de madeira na porta que dava para o quintal e voltou à cadeira.

— Meu filho trabalhou a vida inteira — justificou o reclamante. — Minha casa está hipotecada. A lei de aposentadorias é uma pensão vitalícia para os advogados.

— Menos para mim — defendeu-se o bacharel. — Gastamos até o último centavo em diligências.

O Coronel sofreu com a ideia de ter sido injusto.

— Isso aí foi o que eu quis dizer — corrigiu-se. Enxugou a testa com a manga da camisa. — Com este calorão os parafusos da cabeça enferrujam.

Daí a pouco o advogado revirava o escritório atrás da procuração. O sol avançou até o meio da sala estreita, construída com tábuas não aplainadas. Depois de procurar em vão por todas as partes, bufando, o advogado andou de gatinhas e puxou um rolo de papéis que estava debaixo da pianola.

— Achei.

Entregou ao seu cliente uma folha de papel selado.

— Tenho de escrever aos meus agentes para anularem as cópias — concluiu.

O Coronel soprou o pó e guardou a folha no bolso da camisa.

— Rasgue-a o senhor mesmo — provocou o advogado.

— Não — respondeu o cliente. — São vinte anos de reivindicações. — E aguardou que o negro seguisse procurando. Mas ele não o fez. Foi até à rede para secar o suor. De lá olhou o Coronel através de uma atmosfera reverberante.

— Preciso também dos documentos — cobrou o Coronel.

— Quais?

— Os autos.

O advogado abriu os braços.

— Isso é que não vai ser possível, Coronel.

Este se alarmou. Tesoureiro da Revolução na circunscrição de Macondo, fizera uma viagem penosa de seis dias com os fundos da guerra civil, em dois baús amarrados no lombo de uma mula. Chegou ao acampamento de Neerlândia arrastando o animal morto de fome, meia hora antes que se assinasse o tratado. O coronel Aureliano Buendía, comandante em chefe das forças revolucionárias no litoral atlântico, passou recibo e incluiu os dois baús no inventário da rendição.

— São documentos de valor incalculável — disse o Coronel. — Há um recibo de próprio punho do coronel Aureliano Buendía!

— Certo — defendeu-se o advogado. — Mas essa papelada toda passou por mais de mil mãos em mais de mil repartições, até chegar a quem sabe que seção do Ministério da Guerra.

— Documentos desse teor não podem passar inadvertidamente a nenhum funcionário — insistiu o Coronel.

— Ora, nos últimos quinze anos mudaram muitas vezes de funcionários — esclareceu o preto. — Lembre-se de que houve sete presidentes e cada um deles mudou pelo menos dez vezes de gabinete; e que cada ministro mudou de auxiliares pelo menos cem vezes.

— Mas ninguém pode levar documentos para casa — voltou o Coronel. — Cada novo funcionário deve tê-los encontrado no devido lugar.

O advogado desesperou-se.

— E além disso, se esses papéis saem agora do Ministério, terão de ser submetidos a um novo rodízio para enquadramento.

— Não tem importância — decidiu-se o Coronel.

— Será uma questão de séculos!

— Não importa. Quem espera o muito, espera o pouco.

LEVOU PARA A MESINHA de centro da sala um bloco de papel pautado, a caneta, o tinteiro, uma folha de mata--borrão. Deixou a porta do quarto aberta a fim de fazer consultas à mulher, que rezava o rosário.

— Que dia é hoje?

— 27 de outubro.

Escreveu com uma compostura aplicada, posta a mão com a caneta na folha de mata-borrão, a coluna vertebral reta para favorecer a respiração, conforme lhe ensinaram na escola. O calor tornou-se insuportável na sala fechada. Uma gota de suor caiu sobre a carta. O Coronel recolheu-a com o mata-borrão. Depois passou a raspar as palavras manchadas mas fez bobagem. Não se desesperou. Escreveu

uma chamada e anotou à margem: "direitos adquiridos".
Em seguida leu todo o parágrafo.

— Que dia me incluíram no quadro?

A mulher não interrompeu a reza para pensar.

— 12 de agosto de 1949.

Pouco depois começou a chover. O Coronel encheu
uma folha com letras grandes, um tanto ou quanto in-
fantis, as mesmas que lhe ensinaram na Escola Pública
de Manaure. Depois, uma segunda folha até a metade,
e assinou.

Leu a carta à mulher, que aprovou cada frase com a
cabeça. Ao concluir a leitura o Coronel fechou o envelope
e apagou a luz.

— Depois você pede a alguém para bater à máquina.

— Não — cismou o Coronel. — Já estou cansado de
pedir favor.

Por uma meia hora ouviu a chuva contra as palhas do
telhado. A cidade afundava-se no dilúvio. Depois do toque
de silêncio a goteira começou em algum lugar da casa.

— Devíamos ter feito isso há mais tempo —, lamentou a mulher. — É sempre melhor a gente se entender
diretamente.

— Nunca é tarde demais — disse o marido, preocupado
com a goteira. — Pode ser que tudo se resolva antes do
vencimento da hipoteca da casa.

— Ainda faltam dois anos — lembrou.

Ele acendeu a lâmpada para localizar a goteira na sala. Pôs embaixo a lata do galo e voltou ao quarto perseguido pelo ruído metálico da gota no utensílio vazio.

— É possível que por interesse em ganhar dinheiro eles decidam tudo antes de janeiro — disse, e convenceu-se a si mesmo. — Até lá, vai fazer um ano da morte de Agustín e nós então vamos ver um filme.

A mulher riu baixinho.

— Eu nem me lembro mais sequer dos desenhos animados.

O Coronel procurou vê-la através do mosquiteiro.

— Quando é que você foi ao cinema pela última vez?

— Em 1931 — disse. — Levavam *A vontade do morto*.

— Houve muito murro?

— Nunca a gente soube. O aguaceiro caiu na hora em que o fantasma estava roubando o colar da moça.

O rumor da chuva adormeceu os dois. O Coronel sentiu ligeiro mal-estar nos intestinos, mas não se alarmou. Sobreviveria a um novo outubro. Envolveu-se no cobertor e apercebeu-se da pedregosa respiração da mulher, remota, navegando em outro sonho. Então falou perfeitamente consciente.

Ela despertou.

— Está falando com quem?

— Com ninguém — respondeu ele. — Estava pensando que na reunião de Macondo a gente estava com a razão quando disse ao coronel Aureliano Buendía que não se rendesse. Foi isso que estragou tudo.

Choveu durante a semana inteira. No dia 2 de novembro, contra a vontade do Coronel, ela levou umas flores ao túmulo de Agustín. Voltou do cemitério com nova crise. Foi outra semana dura. Mais dura que as quatro de outubro, às quais ele não acreditou sobreviver.

O médico foi ver a doente e saiu do quarto exaltado:

— Com uma asma dessas eu estaria preparado para enterrar a cidade inteira.

No entanto, falou a sós com o marido e prescreveu um regime especial.

Também o Coronel teve uma recaída. Agonizou horas na privada, suando gelo, sentindo que a flora das vísceras apodrecia, caindo aos pedaços.

— É o inverno — repetiu para si sem desespero. — Tudo será diferente quando puder parar de chover.

E acreditou nisso realmente, com a certeza de estar vivo quando a carta chegasse.

Desta vez coube a ele remendar a economia doméstica. Várias vezes teve de apertar os dentes para comprar fiado nas mercearias das redondezas.

— É só até a próxima semana — argumentava sempre, mesmo sem a convicção de que dizia a verdade. — É um dinheirinho que já deveria ter chegado na sexta-feira passada.

Ao sair da crise a mulher reconheceu-o, espantada.

— Você está que é só pele e osso!

— Estou me cuidando para me vender — brincou. — Já me encomendaram para uma fábrica de clarinetas.

Na realidade estava se sustentando apenas na esperança da carta. Esgotado, os ossos moídos pela vigília, não pôde ocupar-se ao mesmo tempo de suas necessidades e do galo. Na segunda quinzena de novembro pensou que o animal morreria, após dois dias sem milho. Lembrou-se, então, de um punhado de feijão que, ainda em julho, dependurara no fumeiro. Abriu as vagens e jogou um punhado de sementes secas para o galo.

— Venha até aqui — pediu a mulher.

— Aguarde um pouquinho — respondeu o Coronel, observando a reação do bicho. — Para uma boa fome não existe pão mofado.

Deparou-se com a mulher tentando sair da cama. O corpo maltratado exalava um bafo de ervas medicinais. Ela pronunciou uma a uma as palavras, com precisão calculada.

— Dê um fim a esse galo, imediatamente.

O Coronel já previra esse instante. Esperava-o desde a tarde em que crivaram o filho de balas e ele decidiu conservar o galo. Tivera tempo para pensar.

— Agora não vale a pena — argumentou. — Daqui a três meses haverá rinha e então poderemos vendê-lo por um preço melhor.

— Não é questão de dinheiro — rebateu ela. — Quando os rapazes chegarem aí, diga a eles para levarem; e que façam desse bicho o que bem entenderem.

— É por Agustín — disse o marido, com o argumento previsto. — Imagine a cara dele quando viesse comunicar pra gente a vitória do galo.

A mulher pensou efetivamente no filho.

— Esses galos malditos foram a sua perdição — gritou. — Se no dia três de janeiro ele tivesse ficado em casa, não seria surpreendido pelo azar.

Apontou para a porta o indicador esquálido e exclamou:

— Parece que estou vendo quando ele saiu com o galo debaixo do braço. E eu ainda lhe adverti, pedi pra ele não ir buscar azar na rinha; Agustín riu e falou: "Calma, que hoje à tarde nós vamos ficar podres de ricos."

Caiu exausta. O Coronel empurrou-a suavemente até o travesseiro. Seus olhos tropeçaram com outros olhos exatamente iguais.

— Procure não se mover — advertiu-a, sentindo os assobios dentro de seus próprios pulmões.

Ela mergulhou em um torpor momentâneo. Fechou os olhos e, quando tornou a abri-los, a respiração parecia mais repousada.

— Isso é devido à situação em que estamos — disse. — É pecado se tirar o pão de nossa boca para dar a um galo.

O Coronel enxugou-lhe a testa com o lençol.

— Ninguém morre em três meses.

— Enquanto isso, o que vamos comer? — perguntou ela.

— Não sei — disse o marido. — Mas se tivéssemos que morrer de fome, já estaríamos mortos.

O galo estava perfeitamente vivo diante da lata vazia. Emitiu um monólogo gutural, quase humano, ao avistar o Coronel; atirou a cabeça para trás. O velho sorriu com certa cumplicidade.

— A vida é dura, camarada.

Saiu à rua. Vagou pela cidade em sesta sem pensar em nada, sequer cuidando em se convencer de que o seu problema não teria solução. Caminhou por ruas esquecidas até se sentir esgotado. Então voltou para casa. A mulher chamou-o lá no quarto.

— Que é?

Ela respondeu sem olhá-lo.

— Podemos vender o relógio.

O Coronel já havia pensado nessa solução.

— Tenho certeza de que Álvaro nos dá, sem fazer careta, quarenta pesos — disse ela. — Veja com que facilidade adquiriu a máquina de costura de Agustín.

(Referia-se ao alfaiate para quem o filho trabalhara.)

— Posso falar com ele amanhã cedo — admitiu o Coronel.

— Nada de falar amanhã cedo — sentenciou a mulher. — Você leva agora mesmo o relógio, deixa sobre a mesa dele e diz: "Álvaro, trouxe este relógio para você comprar." Ele entenderá logo.

O Coronel sentiu-se um desgraçado.

— É como andar carregando o santo sepulcro — suspirou. — Se me virem pela rua com semelhante mostruário, entrarei imediatamente em uma canção de Rafael Escalona.

Ainda desta vez a mulher o convencera. Ela mesma retirou o relógio, envolveu-o em jornais, e lhe passou.

— Não volte aqui sem os quarenta pesos, heim — disse.

Ele rumou para a alfaiataria com o embrulho quase embaixo do sovaco.

Encontrou os companheiros do filho sentados à porta.

Um deles lhe ofereceu assento. A mente do Coronel estava embaralhada.

— Obrigado — agradeceu. — Estou de passagem.

Álvaro saiu da alfaiataria. No arame esticado entre duas estacas do alpendre pendurou uma peça molhada de brim. Era um moço de formas duras, angulosas, olhos alucinados. Até mesmo ele chamou-o para sentar. O Coronel sentiu-se reconfortado. Encostou o banquinho no batente da porta e sentou-se à espera de que Álvaro ficasse sozinho, a fim de lhe propor o negócio. De repente notou que estava cercado de rostos herméticos.

— Não vou interromper — disse.

Protestaram. Um dos rapazes inclinou-se até ele. Falou com voz apenas perceptível:

— Agustín escreveu.

O Coronel observou a rua deserta.

— Que disse?

— A mesma coisa de sempre.

Entregaram-lhe o panfleto clandestino. O Coronel guardou-o no bolso da calça. Depois ficou em silêncio, tamborilando sobre o embrulho até perceber que alguém vira o pacote. Ficou em suspenso.

— Que está levando aí, Coronel?

Evitou os penetrantes e verdes olhares de Germán.

— Nada — mentiu. — Levo o relógio para o alemão consertar.

— Não seja bobo, Coronel — disse Germán pegando no embrulho. — Espere um pouco, eu mesmo examino.

Houve resistência. Não disse nada, mas suas pálpebras se avermelharam. Os outros insistiram.

— Deixe, Coronel. Ele conhece Mecânica.

— É que eu não queria incomodar.

— Que incomodar que nada — respondeu Germán. Apanhou o relógio. — O alemão vai lhe tomar dez pesos e deixar isso aqui do mesmo jeito.

Entrou na alfaiataria com o relógio. Álvaro estava costurando à máquina. No fundo, sob um violão pendurado no gancho, uma moça pregava botões. Colado acima do instrumento estava o letreiro: "Proibido falar de política". O Coronel esmoreceu. Apoiou os pés na trave do tamborete.

— Merda, Coronel.

Sobressaltou-se.

— Sem palavrões — se chateou.

Alfonso ajustou os óculos no nariz para examinar melhor as botinas do visitante.

— É devido os seus sapatos — comentou. — O senhor está estreando uns sapatos do caralho!

— Mas se pode dizer isso sem palavrão — argumentou o Coronel, mostrando as solas das botinas de verniz: — Esses monstros têm quarenta anos e é a primeira vez que ouvem um palavrão.

— Pronto — gritou Germán lá de dentro, junto com as badaladas do relógio. Na casa vizinha uma mulher bateu na parede divisória e gritou:

— Deixem o violão. Ainda não faz um ano da morte de Agustín.

Estourou uma gargalhada.

— É um relógio!

Germán saiu com o embrulho.

— Não era nada. Se quiser, acompanho o senhor até sua casa para botá-lo no nível.

O Coronel recusou a oferta.

— Quanto lhe devo?

— Não se preocupe, Coronel — respondeu, ocupando seu lugar no grupo. — Em janeiro o galo paga.

Foi quando o Coronel encontrou a ocasião esperada.

— Proponho uma coisa.

— O quê?

— Dou o galo a você — examinou os rostos ao redor. — Dou o galo a vocês todos.

Germán fixou-o, perplexo.

— Eu já estou muito velho para isso — continuou falando. Imprimiu à voz uma severidade convincente. — É responsabilidade demasiada para mim. Em certas noites tenho a impressão de que esse galo está morrendo.

— Não se impressione, Coronel — acalmou-o Alfonso.

— Acontece que nesta época o bicho está emplumando. Tem febre nas esporas.

— No mês que vem estará bom — confirmou Germán.

— De qualquer modo eu não quero mais ele — enfatizou.

Germán penetrou-lhe nas pupilas.

— Veja se desconfia, Coronel — insistiu. — O mais importante é que o galo de Agustín entre na arena pelas suas mãos.

O Coronel pensou no assunto.

— Eu sei — disse. — Por isso sustentei-o até agora.

Apertou os dentes e ganhou forças para avançar:

— O pior é que ainda faltam três meses.

Germán foi quem entendeu.

— Se é por isso não há problema.

E propôs sua fórmula. Os outros aceitaram. Ao anoitecer, quando entrou em casa com o embrulho debaixo do braço, a mulher sofreu nova desilusão.

— Nada — perguntou.

— Nada — respondeu o marido. — Mas agora já não importa. Os rapazes vão se encarregar de dar comida ao galo.

— ESPERE QUE EU empresto um guarda-chuva, compadre.

Dom Sabas abriu um armário embutido na parede do escritório e apareceu um interior confuso: botas amontoadas, estribos e correias e uma caixa de alumínio cheia de esporas de cavaleiro. Meia dúzia de guarda-chuvas e uma sombrinha de mulher penduravam-se na parte superior. O Coronel pensou imediatamente nos destroços de uma catástrofe.

— Obrigado, compadre — disse debruçado na janela.

— Prefiro esperar que o tempo melhore.

Dom Sabas não fechou o armário. Instalou-se no escritório dentro da órbita do ventilador elétrico. Tirou da gaveta uma seringa hipodérmica, enrolada em algodões.

O Coronel contemplava as amendoeiras cinzentas através da chuva. Era uma tarde deserta.

— A chuva é diferente vista desta janela — disse. — É como se estivesse chovendo em outra cidade.

— Chuva é chuva em qualquer parte — contestou Dom Sabas. Botou uma seringa para ferver sobre a coberta de vidro da escrivaninha. — Isto é uma cidade de merda.

O Coronel deu de ombros. Andou para o interior do escritório: um salão de ladrilhos verdes com móveis forrados em tecido de cores vivas. Ao fundo, amontoados em desordem, sacas de sal, odres de mel e selas. Dom Sabas seguiu-o com um olhar absolutamente vazio.

— Eu, no seu lugar, não pensaria a mesma coisa — falou o Coronel.

Sentou-se com as pernas cruzadas, o olhar tranquilo fixo no homem inclinado sobre a escrivaninha. Um sujeito pequeno, volumoso, mas de carnes flácidas, com uma tristeza de sapo nos olhos.

— Consulte o médico, compadre — lembrou Dom Sabas. — O senhor está um tanto fúnebre desde o dia do enterro.

O amigo levantou a cabeça.

— Estou me sentindo muito bem — respondeu.

Dom Sabas esperou que a seringa fervesse.

— Se eu pudesse dizer o mesmo — lamentou-se. — Feliz é o senhor, que pode comer um estribo de cobre.

Contemplou o dorso peludo de suas mãos salpicado de manchas claras. Usava um anel de pedra negra sobre a aliança de casamento.

— É verdade — admitiu o Coronel.

Dom Sabas chamou a mulher da porta que comunicava o escritório com o resto da casa. Depois passou a explicar, dolorosamente, o seu regime alimentar. Tirou uma garrafinha do bolso da camisa e botou em cima da escrivaninha uma pastilha branca do tamanho de uma lentilha.

— É um martírio andar com isso em tudo quanto é lugar. É o mesmo que carregar a morte no bolso.

O Coronel aproximou-se da escrivaninha. Examinou a pastilha na palma da mão até que Dom Sabas convidou-o a saboreá-la.

— É para adoçar café — acrescentou. — Açúcar mas sem açúcar.

— É mesmo — convenceu-se o Coronel, a saliva impregnada de certa doçura tristonha. — É algo como repicar sem sinos.

Dom Sabas acotovelou-se na escrivaninha com a cara entre as mãos depois que a mulher lhe aplicou a injeção. O Coronel não sabia o que fazer com o próprio corpo. A mulher desligou o ventilador elétrico, colocou-o sobre a caixa blindada e se encaminhou para o armário.

— Os guarda-chuvas têm algo que ver com a morte — disse.

O Coronel não lhe prestou atenção. Saíra de casa às quatro horas com o propósito de esperar o correio, mas a chuva obrigou-o a se refugiar no escritório de Dom Sabas. Ainda chovia quando as lanchas apitaram.

— Todo mundo diz que a morte é mulher — seguiu falando.

Era corpulenta, mais alta que o marido e com uma verruga pilosa no lábio superior. O modo de falar lembrava o barulho do ventilador elétrico.

— Mas não me parece que seja mulher — continuou.

Fechou o armário e voltou-se para consultar os olhares do Coronel.

— Acredito que seja um animal com garras.

— É possível — admitiu o Coronel. — Às vezes ocorrem coisas bem estranhas.

Pensou no administrador do correio subindo à lancha com o impermeável de borracha. Fazia um mês que mudara de advogado. Tinha o direito de esperar uma resposta. A mulher de Dom Sabas continuava falando da morte até se aperceber da expressão absorta do Coronel.

— Compadre — chamou-o. — O senhor me parece muito preocupado.

E o Coronel ergueu o corpo.

— A senhora tem razão, comadre — mentiu. — Estou pensando que já são cinco horas e ainda não se aplicou a injeção no galo.

Ela ficou perplexa.

— Uma injeção em um galo, como se fosse um ser humano! — chocou-se. — Isto é um sacrilégio!

Dom Sabas não suportou mais. Levantou o rosto congestionado.

— Cale essa boca um minuto — ordenou.

Ela, efetivamente, levou as mãos à boca.

— Já faz bem meia hora que você aporrinha nosso compadre com suas besteiras!

— De maneira alguma — defendeu-a o Coronel.

Ela bateu a porta com força. Dom Sabas enxugou o pescoço com um lenço impregnado de lavanda. O Coronel foi até a janela. Chovia sem dó nem piedade. Uma galinha de pernas compridas e amarelas atravessava a praça deserta.

— É verdade que estão dando injeção no galo?

— É — confirmou o Coronel. — Os treinamentos começam na próxima semana.

— Que temeridade — preocupou-se Dom Sabas. — O senhor não é dessas coisas.

— Concordo — falou o Coronel. — Mas isso não é razão para se lhe torcer o pescoço.

— Teimosia idiota — murmurou Dom Sabas a caminho da janela. O Coronel percebeu sua respiração de fole. Os olhos do compadre lhe causavam piedade.

— Ouça um conselho, compadre — advertiu o outro.

— Venda esse galo antes que seja tarde demais.

— Nunca é tarde para nada — filosofou o Coronel.

— Não seja irracional — insistiu Dom Sabas. — É um duplo negócio. Por um lado, livra-se dessa dor de cabeça; por outro, enfia no bolso novecentos pesos.

— Novecentos pesos!

— Sim, novecentos pesos.

O Coronel concebeu a cifra.

— O senhor acha que ele alcança esse preço?

— Eu não acho — disse Dom Sabas. — Estou absolutamente seguro.

Era a cifra mais alta que tivera na cabeça desde que restituíra os fundos da Revolução. Sentia uma violenta torsão nos intestinos ao sair do consultório do compadre, mas tinha consciência de que, desta vez, não era devido ao mau tempo. Na agência do correio dirigiu-se direto ao administrador.

— Estou esperando uma carta urgente — humilhou-se. — É aérea.

O funcionário procurou nas caixas postais. No final das buscas repôs toda a correspondência nas letras correspondentes, sem dizer nada. Tirou o pó das mãos e botou no reclamante um olhar significativo.

— Tinha de chegar uma hoje, com certeza — angustiou-se o Coronel.

O administrador jogou os ombros.

— A única certeza na vida é a morte, Coronel.

A mulher recebeu-o com um prato de canjica. Comeu em silêncio, com pausas espaçadas, a fim de pensar entre uma colherada e outra. Sentada adiante dele a mulher percebeu qualquer mudança naquela casa.

— Que se passa com você — perguntou.

— Estou pensando no empregado que depende de pensão — mentiu. — Dentro de cinquenta anos estaremos tranquilos debaixo da terra, enquanto esse pobre homem agonizará todas as sextas-feiras esperando a aposentadoria.

— Um mau sintoma — continuou a mulher. — Isso quer dizer que você já está se resignando.

Ela engolia a canjica. Momentos depois notou, porém, que o marido permanecia ausente.

— Agora, o que você deve fazer é aproveitar a canjica.

— Está realmente boa — falou o Coronel. — De onde saiu?

— Do galo — respondeu ela. — Os rapazes trouxeram tanto milho que ele emprestou um pouquinho pra gente. A vida é assim.

— Se é — suspirou o marido. — A vida é a melhor coisa que já se inventou.

Viu o galo amarrado no suporte do fogareiro e desta vez lhe pareceu um animal diferente. A mulher também olhou-o.

— Hoje à tarde tive de espantar os meninos com um cacete — comentou. — Trouxeram uma galinha velha para cruzar com ele.

— Não é a primeira vez — disse o Coronel. — Faziam isso mesmo nos povoados com o coronel Aureliano Buendía. Levavam para ele mocinhas para acasalar.

Ela celebrou a ocorrência. O galo emitiu um som gutural que chegou até o corredor como uma surda conversação humana.

— Às vezes eu penso que esse bicho vai falar — comentou ela.

O Coronel observou-o mais uma vez.

— Trata-se de um galo cantante e sonante — argumentou. Fez cálculos enquanto sorvia uma colherada de canjica. — Ele ainda vai dar de comer à gente por uns três anos.

— Ilusão não se come — preveniu a mulher.

— Não se come, mas alimenta — replicou. — É algo assim milagroso como as pastilhas do meu compadre Sabas.

Dormiu mal naquela noite, cuidando em apagar cifras da sua cabeça. No outro dia a mulher serviu no almoço dois pratos de canjica e consumiu o seu de cabeça baixa, sem dizer palavra. O Coronel sentiu-se contagiado por um humor sombrio.

— Que há com você?

— Nada — respondeu ela.

Agora — essa era a impressão do Coronel — cabia a ela a vez de mentir. Procurou reconfortá-la mas a mulher insistiu.

— Não é nada demais. Estou pensando que já vai para uns dois meses que ele morreu e ainda não fui dar os pêsames à família.

Resolveu ir naquela mesma noite. O marido acompanhou-a à casa do finado e depois dirigiu-se para o salão do cinema, atraído pela música dos alto-falantes. Sentado à porta do seu escritório, o padre Ángel vigiava a entrada a fim de saber quem assistia à sessão, apesar das suas doze advertências. Os jorros de luz, a música estridente, os gritos dos meninos — tudo isso atravancava o passeio. Um deles ameaçou-o com uma espingarda de pau.

— O galo ou a vida, Coronel — exigiu com a vozinha autoritária.

Ele levantou as mãos.

Um cartaz a quatro cores ocupava toda a fachada do salão: *A virgem da meia-noite*. Era uma mulher em vestido de baile com uma das pernas descoberta até a coxa. O Coronel continuou vagando pelos arredores; e quando estouraram os primeiros trovões e relâmpagos a distância, voltou para buscar a mulher.

Ela já não estava na casa do morto; tampouco na sua. O Coronel imaginou que faltasse quase nada para o toque de silêncio, mas o relógio havia parado. Esperou, sentindo a tempestade avançar para a cidade. Estava disposto a sair quando ela entrou.

Ele carregou o galo para o quarto. A mulher trocou a roupa e foi beber água na sala no momento em que o marido acabava de dar corda no relógio, esperando o toque de silêncio a fim de acertar os ponteiros.

— Onde estava? — quis saber.

— Por aí — foi a resposta.

Deixou o copo na mesinha de talha e entrou no quarto sem olhar o marido.

— Ninguém diria que esse temporal chegasse logo.

O marido não fez qualquer comentário. Acertou o relógio, ao soar o toque de silêncio, nas onze horas. Fechou o vidro e colocou a cadeira no lugar. Deu com a mulher de rosário na mão.

— Você não respondeu à minha pergunta — disse ele.

— Qual.

— Onde estava?

— Fiquei conversando por aí — disse. — Há muito tempo que eu não saía.

O Coronel armou a rede. Fechou tudo e fumigou a casa. Então, botou a lâmpada no chão e se deitou.

— Eu entendo — murmurou triste. — O pior nessa situação é a gente ser obrigado a dizer mentiras.

Ela suspirou profundamente.

— Estive com o padre Ángel. Fui pedir um empréstimo em troca das nossas alianças de casamento.

— E ele, disse o quê?

— Disse que é pecado negociar com as coisas sagradas.

Continuou falando de dentro do mosquiteiro.

— Há dois dias tentei passar o relógio. Ninguém quis porque estão vendendo uns modernos a prazo, com números luminosos. Pode-se, inclusive, ver as horas no escuro.

O Coronel comprovou que quarenta anos de vida em comum, de fome em comum, de sofrimentos comuns, não lhe bastaram para conhecer sua mulher. Sentiu que também no amor alguma coisa tinha envelhecido.

— Também não querem o quadro — continuou. — Quase todo mundo tem um igual. Fui tentar inclusive nos turcos.

O Coronel amargurou-se.

— De modo que todo mundo agora sabe que a gente está passando fome.

— Estou cansada — balbuciou. — Os homens não veem os problemas de casa. Várias vezes botei pedra para ferver a fim de que os vizinhos não soubessem que levamos dias e dias sem pôr panela no fogo.

O marido ofendeu-se mais ainda.

— Uma verdadeira humilhação — disse.

A mulher deixou o mosquiteiro e foi até a rede.

— Eu estou disposta a acabar com os melindres e as contemplações nesta casa!

A voz começou a se obscurecer de raiva colérica.

— Estou me afogando em resignação e dignidade!

O Coronel não movia um só músculo.

— Vinte anos esperando os passarinhos coloridos que lhe prometiam depois de cada eleição e, de tudo isso, só nos resta um filho morto! Nada mais que um filho morto!

O Coronel já estava acostumado a esse tipo de recriminação.

— Cumprimos com o nosso dever — alegou.

— E eles cumpriram com o de ganhar mil pesos por mês no Senado, durante vinte anos — voltou a mulher. — Aí está o nosso compadre Sabas, com sua casa de dois andares e que não dá para guardar tanto dinheiro, um homem que chegou por aqui com uma cobra enrolada no pescoço!

— Mas está morrendo de diabete! — reagiu o Coronel.

— E você de fome — gritou. — Para que se convença de que a dignidade não se come!

Um relâmpago interrompeu-a. O trovão despedaçou-se na rua e entrou no quarto, passando em rodeios por debaixo da cama como uma cavalgada de pedras. A mulher correu para o mosquiteiro à procura do rosário.

O Coronel sorriu.

— Isso lhe acontece por você não frear a língua — vingou-se. — Eu sempre lhe preveni que Deus é meu correligionário.

Na realidade, porém, ele se sentia amargurado. Logo depois apagou a luz e afundou-se em pensamentos dentro da escuridão açoitada pelos relâmpagos. Lembrou-se de Macondo. O Coronel esperou dez anos para que cumprissem as promessas de Neerlândia. Na modorra da sesta viu chegar o trem amarelo e empoeirado com os homens, as mulheres e os animais asfixiando-se de calor, amontoados até o teto. Era a febre da banana. Transformaram o lugar em vinte e quatro horas.

— Vou embora — dissera então. — O cheiro de banana me desarranja os intestinos.

E abandonou Macondo no trem de volta, na quarta--feira à tarde, 27 de junho de 1906, às duas horas e dezoito minutos. Precisou de meio século para se dar conta de que não havia gozado um só minuto de sossego desde a rendição de Neerlândia.

Abriu os olhos.

— Então, não mais se pensa nisso — pediu.

— Em quê.

— Nessa questão do galo. Amanhã mesmo vou passá-lo adiante, ao compadre Sabas, por novecentos pesos.

Os GEMIDOS DOS animais castrados, de mistura com os gritos de Dom Sabas, entraram pela janela do escritório adentro.

— Se não vier dentro de dez minutos, vou m'embora — prometeu a si mesmo o Coronel, após duas horas de espera.

No entanto, aguardou mais vinte minutos. Já se dispunha a sair quando o compadre entrou seguido por um bando de empregados. Passou diversas vezes diante do amigo, sem olhá-lo. Só quando os trabalhadores saíram é que Dom Sabas descobriu o Coronel.

— Está me esperando, compadre?

— Estou, sim, compadre. Mas posso voltar depois. Está muito ocupado?

Do outro lado da porta Dom Sabas não o ouviu.

— Volto já — disse.

Era um meio-dia escaldante. O escritório resplandecia com a reverberação da rua. Entorpecido pela canícula, o Coronel fechou os olhos involuntariamente, e logo passou a sonhar com sua mulher. A companheira de Dom Sabas entrou na ponta dos pés.

— Não desperte, compadre. Vou fechar essas persianas porque este escritório é uma fornalha. O Coronel seguiu-a com os olhos totalmente inconscientes. Ela falou na penumbra, ao fechar a janela.

— O senhor sonha assim com frequência?

— Às vezes — envergonhou-se o Coronel, por haver cabeceado. — Quase sempre eu sonho me entrançando em teias de aranha.

— Eu tenho pesadelo toda noite — disse ela. — Gostaria de saber quem são esses desconhecidos que a gente sempre encontra nos sonhos.

Ligou o ventilador elétrico.

— Na semana passada me apareceu uma mulher na cabeceira da cama — continuou. — Tive a devida coragem de perguntar quem era e ela respondeu: "Sou aquela que morreu neste quarto há doze anos."

— Mas a casa só foi construída há dois — lembrou o Coronel.

— Pois é — falou. — Isso comprova que até os mortos se enganam.

A zoeira do ventilador só fez consolidar a penumbra. O Coronel impacientou-se, atormentado pela modorra e pela mulher maçante, que passou diretamente dos pesadelos para os mistérios da reencarnação.

Esperava uma trégua para se despedir quando Dom Sabas voltou ao escritório com o capataz.

— Esquentei sua sopa umas quatro vezes — preveniu-lhe a mulher.

— Se quiser esquente dez — engrossou o marido. — Mas agora não me aporrinhe o juízo.

Abriu a caixa-forte e passou ao empregado um maço de notas, juntamente com uma série de recomendações. O rapaz abriu a persiana para contar o dinheiro. Dom Sabas viu o amigo no fundo da sala e não esboçou a menor reação, continuou instruindo o empregado. O Coronel levantou-se no instante em que os dois homens se dispunham a deixar o escritório mais uma vez. Dom Sabas deteve-se antes de abrir a porta.

— Deseja alguma coisa, compadre?

O Coronel sentiu que o capataz o observava.

— Nada não, compadre — disse. — Apenas uma palavrinha.

— Seja o que for, fale logo. Não posso perder um só minuto.

Permaneceu em suspenso, a mão apoiada no trinco da porta. O Coronel sentiu que se passavam os cinco minutos mais longos da sua vida. Então apertou os dentes.

— É sobre o problema do galo — murmurou.

Dom Sabas acabou de escancarar a porta.

— O problema do galo — repetiu sorrindo e empurrando o capataz para o corredor. — O mundo pegando fogo e o meu compadre preocupado com esse galo.

Depois, dirigindo-se ao Coronel:

— Está bem, compadre, volto já.

O pai de Agustín permaneceu estático no centro da sala até acabar de ouvir as passadas dos dois no final do corredor. Depois saiu para andar pela cidade, paralisada pela sesta dominical. Não havia ninguém na alfaiataria. Fechado o consultório do médico. Ninguém vigiava os artigos expostos nas lojas dos sírios. O rio era uma lâmpada de aço. Um homem dormia no porto sobre quatro tambores de petróleo, o rosto protegido do sol por um chapéu. O Coronel voltou para casa com a certeza de ser a única coisa móvel na região. A mulher esperava-o com um almoço completo.

— Arranjei fiado com a promessa de pagar amanhã cedo — foi advertindo.

Durante a refeição, ele explicava os acontecimentos das três últimas horas e ela ouvia impaciente.

— Acontece que lhe falta fibra — disse depois. — Você se apresentou como se fosse pedir uma esmola, quando deveria ter entrado de cabeça erguida, chamado o compadre e falado: "Compadre, decidi lhe vender o galo."

— A vida assim seria uma beleza — defendeu-se ele.

Ela assumiu uma atitude enérgica. Naquela manhã botara a casa em ordem e estava vestida de maneira insólita, com os sapatos velhos do marido, um avental de borracha e, uma tira amarrada à cabeça, com dois nós nas orelhas.

— Você não tem o menor jeito para negociar — criticou. — Quando a gente vai fazer um negócio, é preciso botar a mesma cara com que vai comprar.

O Coronel descobriu nela qualquer coisa de engraçado.

— Fique assim como está — disse. — Está parecida com aquele homenzinho da Aveia Quacker.

Ela tirou o pano da cabeça.

— Estou falando sério — disse. — Agora mesmo vou levar o galo ao compadre e aposto o que você quiser que estou de volta em meia hora com os novecentos pesos.

— O dinheiro lhe subiu à cabeça — zombou o marido. — Você começa a jogar o dinheiro do galo.

Não foi fácil dissuadi-la. Ela reservara a manhã para organizar mentalmente o programa de três anos sem a agonia das sextas-feiras. Preparou a casa para receber os novecentos pesos. Fez uma lista das compras essenciais de que careciam, sem esquecer um par de sapatos novos para o marido. Destinou um lugar para o espelho, no quarto. A frustração momentânea dos seus projetos produziu-lhe uma sensação confusa de ressentimento e vergonha.

Fez uma sesta bem curta. O marido estava sentado no quintal quando ela se levantou.

— E, agora, que está fazendo — perguntou.

— Estou pensando — respondeu ele.

— Então, está resolvido o problema. Dentro de cinquenta anos a gente pode contar com esse dinheiro.

Na realidade, porém, o Coronel decidira vender o animal nessa mesma tarde. Pensou em Dom Sabas sozinho no escritório, preparando-se diante do ventilador elétrico para a injeção de todos os dias. Tinha previstas todas as suas respostas.

— Leve o galo — recomendou a mulher quando ele saía. — A cara do santo faz o milagre.

O Coronel se opôs. Até à porta ela o perseguiu com uma ansiedade desesperadora.

— Não importa que a tropa esteja lá no escritório — disse. — Agarre o compadre pelo braço e não deixe que ele se mova enquanto não lhe passar os novecentos pesos.

— Podem até pensar que nós estamos preparando um assalto.

Ela fez que não ouviu.

— Lembre-se de que o dono do galo é você — insistiu. — Lembre-se de que é você quem lhe vai fazer um favor.

— Está bem.

Dom Sabas estava com o médico no quarto.

— Aproveite agora, compadre — estimulou a mulher. — O doutor está esperando por ele, que viaja para o sítio e não volta até quinta-feira.

O Coronel debatia-se entre duas forças contrárias: apesar da determinação de vender o galo, gostaria de ter chegado uma hora mais tarde, a fim de não encontrar Dom Sabas.

— Posso esperar — falou.

Mas a mulher insistia. Levou-o ao quarto onde estava o marido, sentado em uma cama alta, de cueca, os olhos sem cor fixos no médico. O Coronel esperou até que o médico aquecesse o tubo de vidro com a urina do paciente, cheirasse o vapor e fizesse um sinal de aprovação a Dom Sabas.

— Este só se fuzilando — disse o médico dirigindo-se ao Coronel. — A diabete é lenta demais para acabar com os ricos.

— O senhor já fez o possível com as malditas injeções de insulina — respondeu Dom Sabas, e deu um salto sobre as flácidas nádegas. — Mas eu sou osso duro de roer — e dirigiu-se ao Coronel:

— Achegue-se, compadre — chamou. — Quando fui procurá-lo não achei mais nem o chapéu.

— Eu não uso para não ter de tirá-lo na frente de ninguém.

Dom Sabas começou a se vestir. O médico botou um tubo de vidro com amostra de sangue no bolso do paletó. Ordenou a maleta. O Coronel pensou que ele se dispunha a sair.

— No seu lugar, doutor, eu enviaria ao compadre uma conta de cem mil pesos. Assim não estará tão ocupado.

— Já lhe propus o negócio, mas com um milhão. Pobreza é o melhor remédio contra diabete.

— Obrigado pela receita — disse Dom Sabas, procurando meter o ventre volumoso dentro da calça de montar. — Mas não aceito, para evitar ao senhor a calamidade de ser rico.

O médico admirou os próprios dentes, refletidos no fecho niquelado da maleta. Consultou o relógio sem manifestar impaciência. Quando foi enfiar as botas, Dom Sabas dirigiu-se intempestivamente ao Coronel:

— Bem, compadre, o que é que há com o seu galo?

O Coronel sentiu que o médico também estava pendente da resposta. Apertou os dentes.

— Nada, compadre — murmurou. — Venho vendê-lo a você.

Dom Sabas acabou de se meter nas botas.

— Muito bem, compadre — disse friamente. — É a coisa mais sensata que poderia lhe ocorrer.

— Já estou muito velho para essas coisas — justificou-se, ante a expressão impenetrável do médico. — Se eu tivesse vinte anos a menos, seria outra história.

— O senhor sempre terá vinte anos a menos — sustentou o médico.

O Coronel recuperou o fôlego. Esperou que Dom Sabas dissesse mais alguma coisa, mas não o fez. Vestiu o casaco de couro com fecho metálico e se preparou para sair do quarto.

— Compadre, se quiser, a gente conversa na semana que vem — falou o Coronel.

— É o que eu ia lhe pedir. Tenho um freguês que talvez ofereça uns quatrocentos pesos. Temos de esperar, no entanto, até a próxima quinta-feira.

— Quanto? — perguntou o médico.

— Quatrocentos pesos.

— Ouvi dizer que valia muito mais — assombrou-se o médico.

— Compadre, você mesmo me falou em novecentos pesos — argumentou o Coronel, amparado na perplexidade do outro. — Trata-se do melhor galo do nosso Departamento.

Dom Sabas falou diretamente ao médico.

— Em outros tempos, qualquer um daria até mil — explicou. — Mas agora ninguém se atreveria a soltar um bom galo. Sempre existe o risco de sair da rinha liquidado a tiros.

Virou-se para o compadre com uma desolação estudada.

— Foi isso que eu quis lhe dizer, compadre.

— Bem — balbuciou este.

Seguiu os dois pelo corredor. O médico ficou na sala, solicitado pela mulher de Dom Sabas, que lhe pediu um remédio "para esses troços que dão de repente e ninguém sabe o que são". O Coronel esperou no escritório. Dom Sabas abriu a caixa-forte, meteu dinheiro em todos os bolsos, e estendeu quatro cédulas ao Coronel.

— Olhe aí, compadre, sessenta pesos. Acertaremos as contas quando você negociar o galo.

O Coronel acompanhou o médico pelos bazares do porto, que começavam a recobrar vida com a fresca vespertina. Uma barcaça carregada de cana-de-açúcar deslizava pela correnteza do rio. O Coronel vislumbrou no médico um hermetismo total.

— E você, doutor, como está?

O médico recolheu os ombros.

— Regular. Acho que estou precisando de médico.

— É o inverno — disse o Coronel. — Eu sempre me desarranjo nessa época.

O médico botou no amigo um olhar absolutamente desprovido de interesse profissional. Cumprimentou sucessivamente todos os sírios sentados às portas das lojas. Na frente do consultório o Coronel expôs sua opinião sobre a venda do galo.

— Não podia fazer senão isso — explicava. — Esse bicho se alimenta de carne humana.

— O único bicho que se alimenta de carne humana é Dom Sabas — disse o médico. — Estou certo de que o senhor vai pegar os novecentos pesos no galo.

— Acha?

— Acho, sim. É negócio tão seguro quanto o famoso pacto patriótico que ele fez com o alcaide.

O Coronel não queria acreditar.

— Meu compadre fez esse pacto para salvar a pele — justificou. — Por isso pôde ficar na cidade.

— E por isso pôde ficar com todos os bens dos próprios correligionários que o alcaide expulsou daqui, pela metade do preço — replicou o médico. Bateu à porta, pois não encontrava a chave nos bolsos. Enfrentou a incredulidade do Coronel.

— Não seja bobo, amigo — disse. — Dom Sabas se interessa muito mais por dinheiro do que pela própria pele.

A mulher do Coronel foi às compras naquela mesma noite. O marido acompanhou-a até as lojas dos turcos, preocupado com as palavras do médico.

— Vá atrás dos rapazes e diga pra eles que o galo já está vendido — ordenou ela. — Não podemos deixá-los iludidos.

— O galo não será negociado enquanto o compadre Sabas não voltar — decidiu o Coronel.

Encontrou Álvaro jogando roleta no salão de bilhar. O local fervia na noite de domingo. O calor parecia mais intenso devido às vibrações do rádio a todo volume. O Coronel entreteve-se com os números de cores vivas, pintadas no oleado negro, iluminados por uma lanterna a querosene posta sobre um caixote no meio da mesa. Álvaro obstinou-se em perder no vinte e três. Seguindo o jogo por cima dos seus ombros, o Coronel observou que o onze dera quatro vezes em nove lances.

— Aposte no onze — sussurrou no ouvido de Álvaro. — É o que mais dá.

O rapaz examinou a mesa do jogo. Na rodada seguinte não apostou. Tirou dinheiro do bolso da calça e com ele um papel.

Passou-o ao Coronel por debaixo da mesa.

— É de Agustín — disse.

O Coronel guardou no bolso o panfleto subversivo. Álvaro jogou forte no onze.

— Comece aos pouquinhos — recomendou o Coronel.

— Pode ser um bom palpite — disse Álvaro.

Um grupo de jogadores, vizinhos, retirou as apostas de outros números para marcar no onze, quando já havia começado a girar a enorme roda de cores. O Coronel sentiu-se oprimido. Pela primeira vez experimentou a fascinação, o sobressalto e a amargura do azar.

Deu o cinco.

— Sinto muito — lamentou o Coronel, envergonhado; e acompanhou com um irresistível sentimento de culpa o rodo de madeira recolhendo a aposta de Álvaro. — Isso acontece por eu me meter no que não é da minha conta.

O rapaz sorriu sem olhar para ele.

— Não se preocupe, Coronel. Tente no amor.

Os pistons do mambo silenciaram de repente. Os jogadores dispersaram-se com as mãos para o alto. O Coronel ouviu às costas o estalo seco, articulado e frio de um fuzil ao ser engatilhado. Compreendeu então que caíra em uma situação fatal: uma batida policial, e ele com um panfleto subversivo no bolso. Deu meia-volta sem levantar as mãos. Foi quando viu de perto, pela primeira vez na vida, o soldado que disparou contra seu filho. Estava exatamente diante dele, o cano do fuzil apontando contra seu ventre. Era pequeno, acaboclado, a pele curtida; exalava um bafo infantil. O Coronel apertou os dentes e desviou suavemente o cano com a ponta dos dedos.

— Com licença — pediu.

Enfrentou uns olhos pequenos e redondos, de morcego. Em um instante sentiu-se tragado por eles, triturado, digerido e imediatamente expelido.

— Tem toda, Coronel.

Não foi necessário abrir a janela para identificar o mês de dezembro. O Coronel sentiu-o nos próprios ossos enquanto picava, na cozinha, as frutas para o desjejum do galo. Depois abriu a porta e a visão do quintal confirmou a sua intuição. Era um quintal maravilhoso, com a erva e as árvores e o quartinho da privada flutuando na claridade, a um milímetro do chão.

A mulher permaneceu na cama até as nove, e quando apareceu na cozinha o marido já havia posto a casa em ordem e conversava com os meninos à volta do galo. Ela teve de rodeá-los para se chegar ao fogão.

— Saiam do meio — gritou. Dirigiu ao animal um olhar sombrio. — Não sei quando me verei livre desta ave de mau agouro.

Através do galo o Coronel examinou o humor da mulher. Nele nada merecia censura, estava apto para os treinamentos. O pescoço e as coxas pelados e violáceos, a crista separada, o animal adquiria uma figura simples, um ar indefeso.

— Vá à janela e o esqueça — recomendou o Coronel quando os meninos foram embora. — Uma manhã assim dá vontade de tirar retrato.

Ela chegou-se à janela, mas o rosto não revelou nenhuma emoção.

— Gostaria de plantar rosas — disse, de volta ao fogão.

O marido pendurou um espelho na estaca, para se barbear.

— Se quer plantar rosas, por que não planta?

Procurou identificar seus movimentos aos da imagem no espelho.

— Os porcos comem todas — lembrou ela.

— Ótimo. Porco cevado com rosa deve ser muito gostoso.

Procurou a mulher pelo espelho e observou que ela continuava com a mesma expressão. No resplendor do fogo seu rosto parecia modelado na matéria do fogão. Sem notar, os olhos fixos nela, continuou se barbeando pelo tato, como o fazia há vários anos. A mulher pensou, em um longo silêncio.

— É que não quero plantá-las — disse.

— Ora — falou ele — então não plante.

Sentia-se muito bem. Dezembro havia murchado a flora das suas vísceras. Teve uma contrariedade nessa manhã ao calçar os sapatos novos. Após tentar várias vezes, compreendeu que era um esforço inútil e calçou as botinas de verniz. A mulher percebeu a manobra.

— Se você não calça os novos, não vai amaciá-los nunca.

— São sapatos de paralítico — protestou. — Sapatos é coisa que só deveria ser vendida com um mês de uso.

Saiu à rua estimulado pelo pressentimento de que a carta chegaria naquela tarde. Quis aguardar Dom Sabas no escritório, enquanto não chegava a hora das lanchas. Mas lhe reafirmaram que o patrão só regressaria na segunda-feira. Não se desesperou, apesar de não ter previsto esse contratempo.

— Tem de vir, mais cedo ou mais tarde — comentou para si próprio, a caminho do porto, atravessando a prodigiosa claridade ainda virgem. — Devia ser dezembro o ano inteiro — murmurou, já sentado no armazém do sírio Moisés. — A gente se sente como se fosse de vidro.

O sírio Moisés teve de fazer um esforço para traduzir a ideia ao seu árabe já quase esquecido. Era um oriental plácido, forrado até o crânio por uma pele muito lisa, esticada, com densos movimentos de afogado. Parecia, efetivamente, salvo das águas.

— Assim era antes — disse. — Se agora também fosse assim, eu teria oitocentos e noventa e sete anos. E você?

— Setenta e cinco — respondeu o Coronel, perseguindo com o olhar o administrador do correio. Só então descobriu o circo. Reconheceu a lona remendada no teto da lancha do correio entre um montão de objetos coloridos. Por alguns instantes perdeu de vista o funcionário para procurar as feras entre as caixas amontoadas sobre as outras lanchas. Não as encontrou.

— É um circo — disse. — É o primeiro que chega, em dez anos.

Moisés verificou a informação. Falou à mulher em uma mistura de árabe e espanhol, e ela respondeu lá do quarto atrás da loja. Ele fez um comentário para si mesmo e depois traduziu sua preocupação ao Coronel.

— Esconda o galo, Coronel. Os moleques podem roubá-lo para vender ao circo.

O Coronel dispôs-se a seguir o administrador.

— Não é circo de feras — disse.

— Não importa — replicou o sírio. — Os acrobatas comem galos para fortificar os ossos.

Seguiu o funcionário dos bazares do porto até a praça, quando foi surpreendido pelo turbulento clamor da rinha. Alguém, ao passar, disse-lhe alguma coisa sobre seu galo. Só então se lembrou de que chegara o dia fixado para começar o treinamento.

Passou direto pelo correio. Momentos depois estava submerso na turbulenta atmosfera da rinha. Viu o bicho no meio da pista, sozinho, indefeso, as esporas embrulhadas em trapos, com algo de medo transparecendo no tremor das pernas. O adversário era um macho triste e cinzento. O Coronel não sentiu qualquer emoção. Foi uma sucessão de assaltos iguais. Um entretecer momentâneo de penas, pés e pescoços em meio a uma ovação alvoroçada. Despachado contra as tábuas da barreira, o adversário dava uma volta sobre si mesmo e voltava ao assalto. Seu galo não atacou. Repelia cada um dos ataques, e vinha outra vez para o lugar exato onde se encontrava. Mas agora as pernas não tremiam.

Germán pulou a barreira, levantou-o com as duas mãos e mostrou-o ao público das galerias, obtendo uma frenética explosão de palmas e gritos, em resposta. O Coronel observou a desproporção entre o entusiasmo da ovação e a intensidade do espetáculo. Pareceu-lhe uma farsa à qual, voluntária e conscientemente, os galos também se prestavam.

Examinou a galeria circular, movido por uma curiosidade um tanto depreciativa. Uma multidão exaltada precipitou-se das galerias até a pista. O Coronel observou a confusão de rostos cálidos, ansiosos, terrivelmente vivos. Toda a gente nova da cidade. Reviveu, como em um presságio, um instante apagado no horizonte da sua memória. Então saltou a barreira, abriu caminho através da multidão concentrada em círculo, e deu com os olhos tranquilos de Germán. Olharam-se sem pestanejar.

— Boa tarde, Coronel.

Este lhe arrebatou o galo.

— Boa tarde — murmurou.

E não disse mais nada porque ficou estremecido com a quente e profunda palpitação do animal. Pensou em que nunca tivera uma coisa tão viva entre as mãos.

— O senhor não estava em casa — disse Germán, paralisado.

Interrompeu-o nova gritaria. O Coronel sentiu-se intimidado. Tornou a abrir caminho sem olhar para ninguém, atordoado pelas ovações. Saiu à rua com o galo debaixo do braço.

Toda a cidade — sua gente mais simples — apareceu para vê-lo passar, seguido pelos meninos da escola. Um preto gigantesco, trepado em uma mesa e com uma cobra enrolada no pescoço, vendia remédios sem licença, na esquina da praça. De regresso ao porto um grupo numeroso detivera-se para ouvir seu pregão; mas quando o Coronel passou com o galo a atenção desviou-se toda para ele. Jamais fora tão comprido o caminho de casa.

Não se arrependeu. Há muito tempo que a cidade jazia em uma espécie de modorra, estragada por dez anos de história. Nessa tarde (outra sexta-feira sem carta) aquele povo todo havia despertado. O Coronel lembrou-se de outra época. Viu a si mesmo com a mulher e o filho assistindo, debaixo do guarda-chuva, a um espetáculo que não foi interrompido, apesar do mau tempo. Lembrou-se também dos dirigentes de seu partido, escrupulosamente penteados, abanando-se no quintal de sua casa ao som da música. Quase reviveu a dolorosa ressonância do bumbo nos intestinos.

Atravessou a rua paralela ao rio e até ali deparou-se com a tumultuosa multidão dos remotos domingos eleitorais. Todos observavam o descarregar do circo. Uma mulher gritou qualquer coisa relacionada com o galo, do interior de uma loja. Ele seguiu para casa, absorto, ainda ouvindo vozes dispersas, como se o perseguissem restos da ovação na rinha.

Já na porta, dirigiu-se aos meninos.

— Todos para casa — ordenou. — Quem entrar aqui sai debaixo de carreada!

Passou a tranca e foi direto à cozinha. A mulher saiu do quarto, sem fôlego.

— Levaram o galo à força — disse. — Eu preveni que o bicho não sairia daqui enquanto eu estivesse viva.

O Coronel amarrou o animal no suporte do fogão. Mudou a água da lata perseguido pela voz frenética da mulher.

— Disseram que o levariam até por cima dos nossos cadáveres. E falaram que o galo não era nosso, mas de toda a cidade.

Só quando terminou seus cuidados com o galo é que o Coronel enfrentou o rosto transtornado da mulher. Descobriu, sem assombro, que isso não lhe produzia remorso ou compaixão.

— Fizeram bem — disse calmamente. Depois, apalpando os bolsos, acrescentou com uma insondável doçura:

— Não vamos mais vender esse galo.

Ela o seguiu até o quarto. Sentiu-o completamente humano, embora intocável, como se o estivesse vendo na tela de um cinema. O Coronel tirou do guarda-roupa um maço de notas, juntou ao que já estava no bolso, contou o total e guardou tudo no mesmo lugar.

— Aí estão vinte e nove pesos para devolver ao compadre Sabas — falou. — O resto, a gente paga quando a pensão chegar.

— E se não chegar — perguntou a mulher.

— Chegará.

— Mas se não chegar?

— Então, não se paga.

Encontrou os sapatos novos debaixo da cama. Voltou ao armário para apanhar a caixa de papelão, limpou a sola com um trapo e botou os sapatos na caixa, tal como a mulher os trouxe no domingo à noite. Ela não se moveu.

— Devolveremos os sapatos. São mais treze pesos para nosso compadre.

— Não recebem de volta — advertiu ela.

— Recebem — respondeu o marido. — Só usei duas vezes.

— Os turcos não entendem essas coisas.

— Mas têm de entender.

— E se não entendem?

— Pois então que não entendam.

Os dois foram se deitar sem comer nada. O Coronel esperou que a mulher acabasse de desfiar o rosário, a fim de apagar a luz. Mas não pôde dormir. Ouviu as badaladas da censura cinematográfica e quase em seguida, três horas depois, o toque de silêncio. A pedregosa respiração da mulher tornou-se angustiosa pela madrugada, com o ar gelado. O Coronel ainda estava com os olhos abertos quando ela perguntou, com voz repousada, conciliatória.

— Você está acordado?

— Estou.

— Seja compreensivo. Fale amanhã com o compadre Sabas.

— Só volta na segunda-feira.

— Ótimo — disse a mulher. — Assim, você terá três dias para pensar melhor.

— Não há nada que pensar melhor.

O ar viscoso de outubro tinha sido substituído por uma frescura agradável. O Coronel tornou a reconhecer dezembro no canto dos galos-do-campo. Às duas da manhã ainda não conseguira dormir. Mas sabia que a mulher também estava acordada. Mudou a posição na rede.

— Está sem sono — perguntou ela.

— Estou.

A mulher pensou um momento.

— Não estamos em condições de fazer isso — advertiu.

— Pense bem no que são quatrocentos pesos de uma vez.

— Falta pouco para que chegue a pensão — lembrou o marido.

— Há quinze anos que você está falando isso.

— Por isso mesmo — argumentou o Coronel. — Agora não pode mais demorar.

Ela ficou em silêncio. Quando tornou a falar, pareceu ao marido que o tempo não havia passado.

— Tenho a impressão que esse dinheiro não chegará nunca — disse ela.

— Chegará.

— E se não chegar?

Ele não encontrou voz para responder. Ao primeiro canto do galo, tropeçou com a realidade, mas voltou a submergir em um sono denso, seguro, sem remorsos. Ao despertar, o sol já ia alto. A mulher dormia. O Coronel repetiu, metodicamente, com duas horas de atraso, os seus movimentos matinais, e esperou-a para o café.

Ela se levantou, impenetrável. Cumprimentaram-se e se sentaram em silêncio. O Coronel sorveu uma xícara de café preto com um pedaço de queijo e um pão doce. Passou a manhã toda na alfaiataria. A uma hora voltou para casa e deu com a mulher costurando entre as begônias.

— Está na hora do almoço — lembrou.

— Não tem almoço — respondeu ela.

Ele encolheu os ombros. Tratou de fechar os buracos da cerca do quintal a fim de que os meninos não entrassem mais na cozinha. No seu regresso a mesa estava servida.

Durante o almoço o Coronel compreendeu que a mulher fazia força para não chorar. A certeza era alarmante. Conhecia o caráter da companheira, naturalmente duro, e enrijecido mais ainda pelos quarenta anos de amargura. A morte do filho não lhe arrancara uma lágrima.

Fixou diretamente naqueles olhos um olhar de reprovação. Ela mordeu os lábios, secou as pálpebras com a manga e continuou almoçando.

— Você não tem consideração — disse ela.

O marido não respondeu.

— É uma pessoa teimosa, obstinada e mal-agradecida — continuou.

Cruzou os talheres sobre o prato mas logo mudou a posição, supersticiosamente.

— Eu, a vida inteira comendo terra, para acabar agora merecendo menos consideração que um galo.

— É diferente.

— É a mesma coisa — insistiu a mulher. — Você devia observar que estou morrendo, que isto que eu tenho não é doença, mas agonia.

O Coronel não deu uma palavra até acabar o almoço.

— Se o doutor me garante que, vendendo o galo, você cura essa asma, eu vendo agora mesmo — disse afinal. — Mas se não, não.

Levou o animal à rinha, à tarde. Quando voltou a mulher estava no auge da crise. Passeava ao longo do corredor, os cabelos soltos nas costas, os braços abertos, buscando ar por cima dos assobios de seus pulmões. Ficou nesse estado até a boca da noite. Depois se deitou, sem falar com o marido.

Mastigou as orações até pouco depois do toque de silêncio. O Coronel, então, dispôs-se a apagar a luz. Ela protestou.

— Não quero morrer nas trevas — disse.

O Coronel deixou a lâmpada no chão. Começava a se sentir um tanto cansado. A sua vontade era esquecer tudo, adormecer de uma só vez quarenta e quatro dias, e despertar a vinte de janeiro, às três da tarde, na rinha e no momento exato de soltar o galo. Sabia no entanto que estava ameaçado pela insônia da mulher.

— É a mesma história de sempre — comentou ela, instantes depois. — Nós entramos com a fome para que os outros comam. A mesma história há quarenta anos.

O Coronel permaneceu em silêncio até que a mulher fez uma pausa. Perguntou se ele estava acordado. O marido respondeu que sim. A mulher continuou em tom fluente, liso, implacável.

— Todo mundo ganhará com o galo, menos nós. Somos os únicos que não temos nem um centavo para apostar.

— O dono do galo tem direito a vinte por cento.

— Você também tinha direito a um cargo quando lhe botavam para moer ossos nas eleições — disse a mulher.

— Também tinha direito à pensão de veterano, depois de arriscar a pele na guerra civil. Agora, todos estão com a vida assegurada e você, morrendo de fome, completamente só.

— Não estou só — defendeu-se o marido.

Procurou explicar qualquer coisa, mas foi vencido pelo sono. Ela continuou protestando surdamente, até sentir que ele dormira. Então, levantou-se, saiu do mosquiteiro, e passou pela sala. O Coronel chamou-a, pela madrugada.

A mulher apareceu na porta, espectral, iluminada por uma luz quase bruxuleante, que ela apagou antes de entrar no quarto. Mas continuou falando.

— Vamos fazer uma coisa — interrompeu o Coronel.

— A única coisa a fazer é vender o galo — disse ela.

— Também podemos passar o relógio.

— Ninguém compra.

— Amanhã eu vou fazer Álvaro dar os quarenta pesos.

— Não dá.

— Então, vamos vender o quadro.

Quando a mulher voltou a falar, estava outra vez fora do mosquiteiro. O Coronel sentiu a sua respiração impregnada de ervas medicinais.

— Não compram — disse.

— Amanhã veremos — insistiu o marido, suavemente,

sem vestígio de alteração na voz. — Agora, durma. Se a gente não vender nada, amanhã pensaremos em outra coisa.

Ele tratou de manter os olhos abertos, mas foi vencido pelo sono. Caiu até o fundo de uma substância sem tempo e sem espaço, onde as palavras da mulher tinham significação diferente. Logo depois, no entanto, sentiu-se sacudido pelo ombro.

— Responda!

O Coronel não sabia se ouvira a palavra antes ou depois do sonho. Amanhecia. A janela recortava a claridade verde do domingo. Achou que estava com febre. Os olhos ardiam e ele teve de fazer um esforço fora do comum para recobrar a lucidez.

— Que se pode fazer se a gente não pode vender nada — repetiu a mulher.

— Então, já será vinte de janeiro — disse ele, perfeitamente lúcido. — Os vinte por cento são pagos no mesmo dia.

— Isso, se o galo ganhar — insistiu a mulher. — E se perder, você já pensou que o galo pode perder?

— Um galo desses não pode perder.

— Suponhamos que perca.

— Faltam ainda quarenta e cinco dias para se pensar nessa hipótese.

A mulher desesperou-se.

— Enquanto isso, o que é que nós vamos comer — perguntou, agarrando o Coronel pelo colarinho.

Sacudiu-o com força.

— Diga, o que nós vamos comer?

O Coronel precisou de setenta e cinco anos — os setenta e cinco anos de sua vida, minuto a minuto — para chegar àquele instante. Sentiu-se puro, explícito, invencível, no momento de responder:

— Merda.

Paris, janeiro de 1957.

Este livro foi composto na tipologia Minion Pro
Regular, em corpo 12,5/16,5, e impresso em
papel off-white 90g/m² no Sistema Cameron da
Divisão Gráfica da Distribuidora Record.